1冊ですべて身につく

マインク

プログラミング入門

まいぜんシスターズ

と学ぼう！

監修：まいぜんシスターズ
（ぜんいち＆マイッキー）

JN037544

もくじ

はじめに

みなさん、こんにちは！　ぼくたちは「まいぜんシスターズ」です。
いつもはYouTubeに「ゲーム実況動画」をアップして、みんなといっしょに楽しい時間をすごしています。

今回、ぼくたちがチャレンジするのは「プログラミング」について、みんなにもっと知ってもらうことです。
プログラミングと聞いて、「なんだか難しそう」「うまくできるか心配」というふうに、不安に感じる人がいるかもしれません。
でも、みんな安心してください。
この本でぼくたちが伝えたいことは、プログラミングの考え方は、ぜんぜんむずかしくない！　ということです。

小学校や中学校のプログラミング学習では、「むずかしい問題を、簡単にクリアするための考え方」や「みんなの生活の中で、プログラミングがどういうふうに活やくしているか」を習います。

　プログラミングの考え方がわかれば、毎日の生活がちょっと便利になります。

　たとえば、ぼくたちふたりが大好きな「マインクラフト」は、プログラミングの考え方を知っていると、もっと楽しく遊べます。

　くわしいことはこの本の中で説明していますが、レッドストーン回路やコマンドブロックは、プログラミングの考え方で動いています。だから、プログラミングをマスターすれば、マインクラフトの世界でワクワクするようなすごいことができるようになります。もちろん、マインクラフトをやっていない人でも、毎日をもっと楽しくすごせるようになります。

　まずはぼくたちといっしょに、マイクラ＆プログラミングの世界を冒険しましょう！

まいぜんシスターズ
（ぜんいち＆マイッキー）

プログラミングってなんだろう？

仲よしコンビのぜんいちとマイッキー。あるとき、ぜんいちのところに
マイッキーがやってきました。どうやら「プログラミング」について知りたい
ようです。さて、「プログラミング」とはいったいなんなのでしょうか。

> ぜんいちー！

> どうしたの？ マイッキー。

ぜんいち

マイッキー

> 「プログラミング」の考え方がわかるようになると、
> マインクラフトがもっと得意になるって本当？

> うん、マインクラフトはもちろん、いろいろな
> 計画を立てたり、勉強だって得意になれるよ。

> すごいや！ ぜんいち、プログラミングの
> 考え方について教えてよ。

【プログラミングとは】

プログラミングとは、コンピュータを動かすための命令（プログラム）をつくること。
パソコンのソフトやスマートフォンのアプリをつくる人のような、
プログラミングをする人のことを、プログラマーというよ。

OK！
そもそも「プログラミングの考え方」っていうのはね、
問題を解決するために、どんなことが必要で、
どんなふうにおこなえばよいのか、論理的に考えていくことだよ。

論理的に考える？　なーんだ、ぼくが
一番得意なことじゃないっすか！

※論理的とは、きちんと筋道が立っていて、
　わかりやすく整っていることだよ。

それと、プログラムの働きや、コンピュータのよいところを
学んだり、今の世の中がコンピュータを使った情報技術で
支えられていることを知ったりすることも大切なんだけど……。
マイッキー、聞いてるかな？

プログラミングの考え方ができる
ようになれば、ぜんいちとの勝負で
100％勝てるようになれるかも……。

そうだなぁ。たとえば、「最強のセキュリティの家」に
必要なものを考えてみて？

必要なもの？

「目的を実現するために、何が必要で、
どう組み合わせればよいか」を考えるんだ。
プログラミングの考え方は
「プログラミング的思考」ともいうよ。

【コンピュータもいろいろ】

コンピュータはプログラムの通りに動く機械。パソコンやスマートフォン、テレビやエアコン、
冷蔵庫や電子レンジ、車など、さまざまなもので利用されているよ。コンピュータはほかにも、
病院、博物館や図書館、コンビニなどのお店、駅や空港など、身近な場所で活やくしているんだ。

たとえば、最強のセキュリティの家に必要なものは

落とし穴！

トラップ付きの宝箱！

セキュリティが整った家にしたいなら、落とし穴をつくったり、
宝箱にトラップをしかけたりしてもよさそうだね！

バスルーム！

明るいキッチン！

快適な家にしたいときはお風呂やシャワーがあったほうがよいなあ。
パソコンルームもほしいし、ガラスの窓で部屋の中を明るくしたい！

ぜんいちの家

マイッキーの家

よし、完成した！
マイッキーはどう？

バーン！！

これはすごいや。
でもぼくの家も
すごいよ？

どうだい？ ぜんいちクン！ プログラミングの天才、
ぼくがつくった最強のセキュリティの家は。

これは……マイッキーらしい、自然を感じる家だね！ でも、もっと
かっこよくできる場所もたくさんありそう！ プログラミングの考え
方では「どうやって改善すればよいか」を考えることも大切なんだ。

この本でわかること

1章　プログラミングの基本は「順次」「反復」「条件分岐」

● プログラムは「順次」「反復」「条件分岐」の、3つのしくみが組み合わさって動いています。
　1章では、この3つのしくみについて解説します。

● まいぜんシスターズのふたりが対決するマイクラの動画シリーズを、マンガ形式で掲載しています。
　動画に登場するようなしかけを、プログラミングの基本であらわすとどうなるかがわかります。

2章　「変数」「配列」「関数」をマスターしよう

● プログラミングの考え方の中でも少し複雑な内容である、「変数」「配列」「関数」について解説します。
　最初はむずかしく感じるかもしれませんが、少しずつ理解を深めていきましょう。

● まいぜんシスターズと、魔法使いの少年が出会うストーリー、「友とMAGIC」シリーズをマンガに
　しました。ドキドキの冒険を楽しみながら、プログラミングについてもくわしくなれるでしょう。

3章　「アルゴリズム」で問題解決！

● 「アルゴリズム」とは、問題を解決する方法や手順のことをいいます。3章ではアルゴリズムの
　基本のほか、「分解」「抽象化」という、論理的にものごとを考える方法や、アルゴリズムを図にする
　「フローチャート」の書き方について解説します。

● まいぜんシスターズがマイクラの世界で思い切り楽しむ動画シリーズをマンガにしています。
　マイクラの遊びとアルゴリズムの考え方を関連付けて、楽しみながら学べます。

4章　プログラミングがもっとわかる！

● 私たちのくらしの中で、アルゴリズムをはじめとするプログラミングの考え方が、どのように
　活用されているかを解説しています。また、コンピュータの働きについても学べます。

● まいぜんシスターズのふたりがどのようにして出会ったかをえがいたストーリー、「家族再会」シリー
　ズを元にしています。心温まる物語を追いかけながら、プログラミングの考え方を身につけられます。

そのほかのコーナー

まいぜんシスターズとつくってみよう！（自由研究にも使える！）

プログラミングの考え方が身につくゲームや毎日の生活で役に立つフローチャートなどの、つくり方を解説
しています。このページを参考にして実際につくり、プログラミング学習の成果として発表してみましょう。

まいぜんシスターズに聞いてみた！（インタビュー）

まいぜんシスターズのふたりに独占インタビュー！　ぜんいち＆マイッキーがどのようなことを考えて
マイクラを楽しんでいるのか、この本の読者だけにこっそり教えてもらいました。

保護者の方へ

　2020年度から、小学校のカリキュラムでは「プログラミング教育」が必修化されました。本書はプログラミング教育について、子どもたちに人気の「まいぜんシスターズ」といっしょに、楽しみながら学べます。ここではプログラミング教育とはどういうものなのか、そして本書がテーマのひとつとして取り扱う「マインクラフト」についても解説します。

● プログラミング教育とはどういうもの？

　プログラミング教育といっても、「将来、プログラマーになるための学問」というわけではありません。プログラミング教育の狙いは「プログラミング的思考」を育むことにあります。

　プログラミング的思考とは、「物事を順序立てて解決するために必要な、論理的思考」のことを指します。このプログラミング的思考は、日常生活のあらゆる場面で必要とされます。

　料理を例に考えて見ましょう。最初に献立を考えます。そしてそれを完成させるために、材料や調理器具を揃え、下ごしらえをします。続けて調理を行い、味見をするという工程の末に完成します。

　そして、これらの手順の合間には、「だしを取っている間に、使い終わった調理器具を洗う」「オーブンでメインの料理を焼いている間に、副菜をつくる」など、効率よく料理を完成させるためのコツがあります。

　プログラミング的思考が苦手で、論理的に順序立てて考えられない場合、献立が一通り揃うまでに、多くの時間がかかってしまうでしょう。取りかかる手順がバラバラで、副菜をつくっている間にメインディッシュが冷めてしまう、なんてこともありえます。

　料理を効率よく、おいしく完成させるためには、論理的に考えて作業を進めること、つまりプログラミング的思考が大切なのです。

　プログラミング的思考が役に立つ場所は、もちろん料理だけではありません。目標や計画を立て、それを実現するために思考をめぐらせることは、人生のあらゆる場面で役に立つでしょう。

プログラミング教育の目的

物事を順序立てて解決するために必要な論理的思考（＝プログラミング的思考）を育む。また、プログラムやコンピュータなどを使い、身近な問題を解決したり、よりよい社会を築いたりしようという考えを育むことも目的のひとつ。

　小学校の教科学習では、プログラミングの授業を行うのではなく、各教科の中にプログラミング的思考力を問う問題が登場し、それぞれの教科の理解を深めるために使われます。たとえば算数では、プログラミングの命令文をつかって図形を作図する授業などが登場します。

◆ まいぜんシスターズについて

　本書で子どもたちをナビゲートする「まいぜんシスターズ」は、「ぜんいち」と「マイッキー」のふたり組。YouTubeを中心にゲームの実況動画などを配信しています。チャンネル登録者数は約110万人（2020年5月現在）にも登り、子どもたちを中心に広く人気を集めています。また、最近はチャリティー活動にも力を入れています。

　本書では、まいぜんシスターズのふたりが「マインクラフト」というゲームを使ってつくり上げ、YouTubeで公開した物語の動画を追体験しながら、プログラミング的思考について学べます。

◆ マインクラフトとは何？

　マインクラフトは2009年にスウェーデンのMojang社（現在の販売元はマイクロソフト）から発売されたゲームです。パソコン、スマートフォン、各種ゲーム機などで販売されていて、累計発売本数は2019年の5月に1億7600万本を突破しました。そして2020年現在も、多くの人が楽しんでいます。

　マインクラフトではブロックのような立方体で構成された3D空間を冒険できるほか、積み木のようにブロックを組み合わせて、さまざまな建物や家具、しかけなどをつくり上げることができます。ひとりで遊ぶだけでなく、家族や友人と協力して複数人で遊ぶこともできます。子どもの創造性を刺激し、さらに協調性を学ぶこともできるため、海外では欧米を中心に学習教材としても高く評価されています。

マインクラフトのゲーム画面。あらゆるものが立方体のブロックでできている。これらのブロックを自由に組み合わせて、3D空間の中で自由にものづくりが楽しめる。

まいぜんシスターズ

『いつになっても、みんなでゲームを楽しむ心を忘れない』ことをモットーに、色々なゲームで遊んでいる仲よしふたり組、ぜんいちとマイッキー。

ぜんいち

真面目でやさしい性格のウサギ。ゲームやプログラミングが大得意。親友のマイッキーといつもいっしょ。

マイッキー

ゆかいでやさしい性格のカメ。ゲームでは自由奔放に遊ぶ。親友のぜんいちと、いつも楽しく暮らしている。

ぼくがぜんいちだよ！

マインクラフトの世界ではこんな姿！

ぼくがマイッキーだよ！

ぜんいちの手↓

※この画面は、ぜんいちの視点だよ。

マインクラフトの世界ではこんな姿！

1章

プログラミングの基本は「順次」「反復」「条件分岐」

ぜんいち VS マイッキー マイクラでバトル！

順次	ものごとを順番に解決していくことだよ。
反復	ものごとをくり返しておこなうことだよ。
条件分岐	場合によって動きを変えることだよ。

巨大秘密基地のしかけを動かす「順次」のしくみを知ろう！

ぜんいちとマイッキーは、今日もマイクラの世界で仲よくバトル！　今回は秘密基地をつくって対決したよ。実はここで、ものごとを順番に解決していく「順次」の考え方が関わっているみたい。

> マイッキーの秘密基地
>
> **①** さて、ぼくの秘密基地はどこでしょう。
>
> **②** ねぇマイッキー、後ろの緑色の建物でしょ。
> そんな！もうバレるなんて。
>
> 秘密基地内部
>
> **③** でも、ぼくの秘密基地はかんぺきで、しかけを解かないと、脱出できないぞ。おっと、秘密の宝箱が見つかってしまったか！
> あやしい……その宝箱は＊トラップチェストかな。それなら別の道を探そう。
>
> **④** やっぱり正解は別の場所だ！出口をあけるレバーを見つけたよ。
>
> **⑤** ぜんいち、脱出成功！

＊【トラップチェスト】マイクラの世界のチェスト（ふたの付いた箱）は、アイテムをしまっておけるブロック。木材を組み合わせてつくれるんだ。トラップチェストとは、トラップ（罠）がしかけられたチェスト。できるだけ開けないほうがよいね。

順次のしくみで、しかけが動く

プログラミングでは、ものごとをひとつずつ順番に解決していくのが基本的なルールなんだ。これを「順次」というよ。

レバーを引くと出口が開くのも、トラップチェストを開けると罠が発動するのも、順次という基本があるからこそなんだよ。

これは完敗だ。トラップもドアもがんばってつくったのに。

実はトラップもドアも、マイッキーの知りたいプログラミングをマスターする最初の一歩なんだよ。

ドアが開くまでの順序

1 レバーを引く
↓
2 回路に信号が流れる
↓
3 出口が開く

レバー

>>

ドアまで続く回路

>>

出口

ふむふむ、必ず順番通りに動くのかぁ。じゃあ、ぜんいち、教えてくれたお礼に、まずはこの箱を開けてみてよ！

最初の動作をしなければ、最後まで動作することはないってことだよ。だまされないぞ！

爆発までの順序

1 箱を開ける
↓
2 信号が流れる
↓
3 爆発する

*【回路】信号が流れる道筋のことだよ。マイクラの世界では、レッドストーンというアイテムを使って回路をつくり、遠くのものを動かしたり、いくつものしかけを連続で動作させたりできるんだ。

ぜんいちの巨大秘密基地！
順序の通りに脱出しよう

マイッキーのつくった秘密基地の謎を、あっさりクリアしたぜんいち。今度はぜんいちの秘密基地にマイッキーが挑戦するよ。脱出までの順番を教えてあげよう。

1 ぜんいちの秘密基地

ぜんいちの秘密基地はふつうの家みたいだね。

こっちも、しかけを解かないと脱出できないよ。

2 レバー　棒

レバーと棒、どちらかひとつを選んで持っていって！片方だけが脱出のカギになるよ。

3 脱出のトビラを開けるなら、レバーで決まりでしょ。ぜんいちの考えをあっさり見ぬいちゃってごめんね。

4 ドアの横に、さっきのレバーが付けられるぞ。……これは絶対ぼくの勝ちだね。

5 ガチャッ！

6 落とし穴!?

マイッキー、落下

マイッキーを脱出させよう

秘密の出口で棒を使えば、脱出できたのに。

それじゃあ、秘密の出口を教えて。

次のふたつの指示を使って、マイッキーを脱出させてあげよう。
『１マス進んで』『右を向いて』
マイッキーは指示の順番に動いてくれるよ。

動き方のルール

1マス進んで	向いている方向に1マス進むよ	右を向いて	その場から動かず、向いている方向を変えるよ

1 はじめ → 2 1マス進んで → 3 右を向いて
→ 4 1マス進んで → 5 おわり

上の指示の場合、右のようになるよ。

「右を向いて」ではその場で方向を変えるだけだよ。

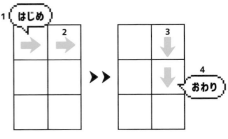

チャレンジ

次の指示の組み合わせの中で、
「秘密の出口」までたどりつけるのは、A〜Cのどれかな

A 1マス進んで→1マス進んで→右を向いて→1マス進んで
→1マス進んで→1マス進んで→1マス進んで

B 1マス進んで→右を向いて→1マス進んで→右を向いて
→1マス進んで→右を向いて→1マス進んで

C 1マス進んで→1マス進んで→右を向いて→1マス進んで
→1マス進んで→右を向いて→1マス進んで

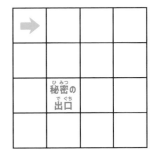

かっこいい秘密基地をつくるなら くり返しでかべを並べよう

ぜんいちの秘密基地はまだ続く。今度はレンガでできた部屋。セキュリティがかんぺきなだけじゃなくて、かっこいい基地をつくるには「反復」の方法を使うと便利そう！

① ここでは、看板にヒントが書いてあるよ。

② 看板にはなんて書いてあるの？

「DO NOT ENTER」進入禁止ってこと。

③ じゃあその、進入禁止エリアに行っちゃおう。

だめだめ！危ないよ！

④ バルコニーに出た！やっぱりここが正解かな？

ちがうのになぁ。

⑤ チェストがある！脱出アイテムをゲットさせていただきますかね。

「DO NOT OPEN」そこには、開けちゃだめって書いてあるよ。

⑥ バリバリバリ！

え！なに？なに？うわあぁぁぁぁ！

くり返しで秘密基地のかべづくり

秘密基地を脱出したふたり

mikey_turtle

ひどい目にあった……。
でもぜんいちの秘密基地、レンガが
きれいに並んでいて、おしゃれだったねぇ。

ありがとう！
ちなみに、同じものを規則正しく並べるのも、
プログラミングの得意分野なんだ。

人間が同じ作業をくり返しておこなうのは、すごく大変だけれど、
コンピュータなら同じ処理をくり返しておこなうのは簡単なことなんだ。
プログラムの世界では、これを「反復」というよ。ループという言い方もするよ。
ついでに、「無限ループ」という言葉を聞いたことがあるかもしれないけれど、
それはあるプログラムの一部が、終わることなくくり返されることをいうんだ。

反復をするとこうなる

反復は同じ処理をくり返すこと。
たとえば、□ ■ を3回反復するとこうなるよ。

秘密基地の
かべをつくるときに
便利そうだね。

チャレンジ

次の並びを、4回反復したら、
A〜Dのどれになるかな。 □ ※ ★

この問題の場合は
3つの記号で1セット！
どこからはじまるか、
まちがえないよう注意して。

A

C

B

D

超巨大迷路づくり対決！
脱出への指示も「反復」で簡単に！

巨大迷路づくり対決！　ゴールまでの長い道のりを、まちがえることなく導きたい場合は、「反復」の考え方を使うとよさそう。ところでマイッキーの迷路、どこかあやしいぞ？

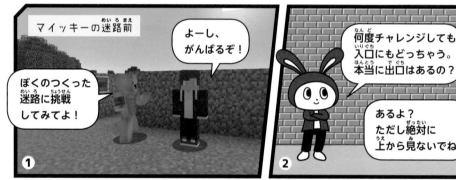

マイッキーの迷路前

よーし、がんばるぞ！

ぼくのつくった迷路に挑戦してみてよ！

①

何度チャレンジしても入口にもどっちゃう。本当に出口はあるの？

迷路の中を探索中

あるよ？ただし絶対に上から見ないでね。

②

偽の出口→　　←入口

あっ！入口と出口がつながっていないぞ！

③

ただいまマイクオフ中

マイッキーに対抗して、ぼくは選択をミスすると、無限ループにおちいる迷路をつくりました。

④

続いて、ぜんいちの迷路内

あやしいスイッチを見つけたぞ？絶対にふまないもんね。

⑤

この先がゴールだな！

⑥

うおおおおお！

⑦

⑥にもどる

パッ！

うおおお!!!

⑧

反復を使って迷路を脱出！

この道、ものすごく長くない？

その道ははずれのルート。どんなに進んでも、道の最初にワープしちゃうんだ！

早く正解のルートに導いてよ！

プログラムの世界では、コンピュータへの複雑な命令を、何度も簡単にくり返すことができるよ。p.17と同じように、指示で人を導く場合も、反復のプログラムを使うことで簡単にできるんだ。

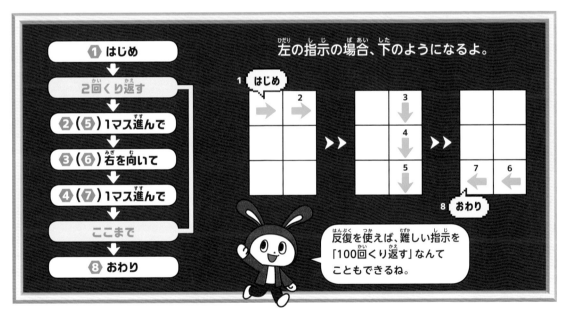

① はじめ

2回くり返す

②（⑤）1マス進んで

③（⑥）右を向いて

④（⑦）1マス進んで

ここまで

⑧ おわり

左の指示の場合、下のようになるよ。

反復を使えば、難しい指示を「100回くり返す」なんてこともできるね。

このスイッチで外に出られるんだ。

正解のルートに到着

（トラップじゃなかったの!?）じ、じつはそこが出口じゃないかと思ってたんだ。

かくれんぼ対決「条件分岐」で かくれ場所を教えて！

おたがいに秘密のかくれ場所をつくって、対決開始！　かくれている場所を教えるときは、条件分岐の考え方が参考になるよ。

① 今日はかくれんぼで対決

じゃあ、まずはぼくがかくれる番！

いいよ！相手をタッチできたら勝ちね！

水の中にかくれるのは禁止にしない？

② 鬼：ぜんいち

マイッキーは高いところにいる？

③ 「はい」！高いところにいるよ！（しめしめ）

（ん、いないなあ）じゃあ、低い位置かな？

④ （ドキドキ、どうしてばれたんだろ！）

もしかして水の中にかくれてる？

⑤ 「いいえ」！水の中になんて、かくれてないっすけど……。

マグマの*バケツ→

*【バケツ】マイクラの世界のバケツは、水やマグマなど、固形のブロックとして運べないものを運ぶときに使えるんだ。熱いマグマはふれると燃えて、どんどんダメージを受けてしまうよ。

かくれ場所によって返事を変える

プログラムは条件によって動きを変えることができる。
これを条件分岐というよ。この図を見てみて。条件分岐の例だよ。

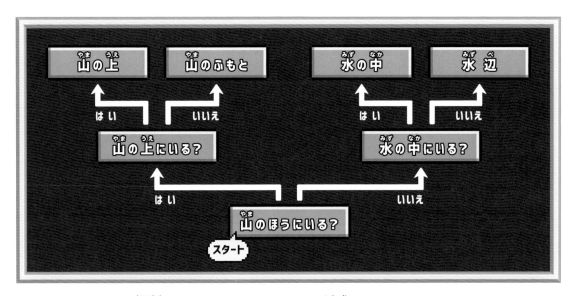

ぜんいちからの質問に「はい」か「いいえ」の返事をして、マイッキーの
かくれ場所を教えてあげるとするよ。1回目と2回目、それぞれの場所に着いたら、
「はい」か「いいえ」のどちらかを答えるんだ。

水の中に向かってほしいときは1回目「いいえ」、2回目「はい」でたどりつけるよ。

もしも、マイッキーが別の場所にいるなら、返事は変わるよね。
そのときの条件によって、処理が変わることが、条件分岐なんだ。

チャレンジ

質問に1、2のように答えた場合、
どこに向かうだろう。
①と②、それぞれ答えてね。

1戦目終了

マグマなんて
出してくるから、
あやうく
ゆでガメになる
ところだったよ!!

びっくり
した……！

ごめんごめん。
次はぼくがかくれる番だね。

❶ 1回目はい、2回目いいえ

❷ 1回目いいえ、2回目いいえ

最強セキュリティでかくれんぼ
スイッチのオン・オフで大逆転！

ぜんいちのかくれ場所は最強セキュリティに守られている。かくれ場所の頂上にあるスイッチをオンにすると、何かが起こるみたいだ。マイッキーはつかまえられるかな？

オンとオフの組み合わせで問題解決！

　コンピュータは、ものごとを2択で考えるのが基本。
コンピュータは計算が大得意だけれど、どんなに複雑な計算でも
「0」と「1」の連続で、答えにたどり着いているんだ。
　たとえば、装置につながったスイッチの、オンとオフを切りかえると、
しかけが動いたり止まったりするよね？　コンピュータの中には膨大な数の
スイッチがあって、オンとオフを切りかえることで動いているんだよ。

たとえば、ふたつのスイッチでできること

秘密基地の外に魔物を出すスイッチと、中に魔物を出すスイッチ、
このふたつのスイッチで秘密基地を守る場合、4つのパターンがあるよ。

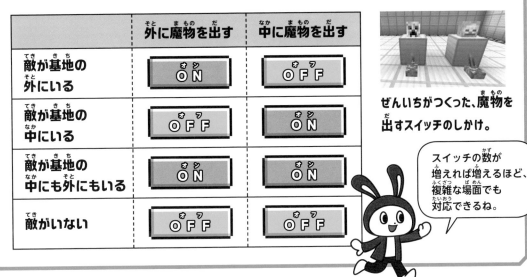

	外に魔物を出す	中に魔物を出す
敵が基地の外にいる	ON	OFF
敵が基地の中にいる	OFF	ON
敵が基地の中にも外にもいる	ON	ON
敵がいない	OFF	OFF

ぜんいちがつくった、魔物を出すスイッチのしかけ。

スイッチの数が増えれば増えるほど、複雑な場面でも対応できるね。

勝利へのカウントダウンだ！

3、2、1……

うわぁ！

スイッチオン！

やったー！落とし穴に落として大逆転だ！

今回は勝てると思ったのに！次こそは絶対に勝つぞ！

7

8

9

1章の解説とチャレンジの答え

> **保護者の方へ**
>
> 1章ではプログラミング的思考を身につける上で必要となる、3つの基本要素、「順次」「反復」「条件分岐」について説明しました。ここではこの3つについて、より深く解説していきます。

p.015 「順次」がわかる！ 1

順次のしくみで、しかけが動く

プログラミングでは、命令をひとつずつ順番に解決していきます。これを「順次」といいます。
基本的に、命令のとちゅうから動作をはじめたり、命令がとちゅうで止まってしまうことはありません。

> プログラミングでは、命令を解決することを「処理する」というよ。

p.017 「順次」がわかる！ 2

マイッキーを脱出させよう

【p.17のチャレンジの答え】C

Cの組み合わせをひとつひとつの動きに分けると、右下の図のようになります。

① 1マス進んで → ② 1マス進んで → ③ 右を向いて → ④ 1マス進んで
→ ⑤ 1マス進んで → ⑥ 右を向いて → ⑦ 1マス進んで

③と⑥の「右を向いて」という指示は、マスから移動せずに向きを変えるだけです。

> 指示の順番に、ひとつずつ動いていこう！

> 今いる場所がどこか、指でさし示していくとよいよ。

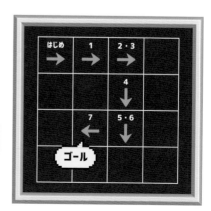

はじめ	1	2・3	
→	→	→	
		4 ↓	
7 ←	5・6 ↓		
ゴール			

くり返しで秘密基地のかべづくり

　プログラミングでは同じ命令をくり返すことを「反復」（または「ループ」）といいます。くり返す回数は、命令をするときに決めます。

【p.19のチャレンジの答え】C

　反復を使った場合も、プログラミングの基本である「順次」のルールは変わりません。同じ順番で命令が処理されます。

　このチャレンジの場合も、「□※★」の並びがきちんと続いているかどうかを確認しましょう。

このチャレンジは、「□※★」の並びを丸でかこんでいくとわかりやすいね！

反復を使って迷路を脱出！

　反復を使うと、複雑な作業をプログラムにくり返しておこなわせることができます。p.21では、反復を使ってマイッキーをゴールまで導いています。

　ここでは「2回くり返す」という命令を使っていますが、実際のプログラミングでは、何百回、何千回と同じ処理をくり返すこともあります。プログラミングの考え方では、このような長い命令をできるだけ短く、簡単にすることが大切です。

　この例題の場合も、p.17のチャレンジと同じように、「右を向いて」という指示は、向きを変えるだけでマスを移動しません。

プログラミングの考え方をマスターすれば、難しいことや大変なことを、わかりやすく、簡単にできるってことなのかな？

そう、プログラミングの考え方がわかると、毎日のくらしをもっと便利にできるんだね。

p.023
「条件分岐」がわかる！ **1**

かくれ場所によって返事を変える

　プログラムはあたえられた命令を、順番に解決していきます。
そのとちゅう、条件によって動きを変えることができます。
　たとえば、分かれ道に着いたとき右と左のどちらの道へ行くのか、
ルールを決めておけるのです。これを「条件分岐」といいます。

【p.23のチャレンジの答え】 **1** 山のふもと　**2** 水辺

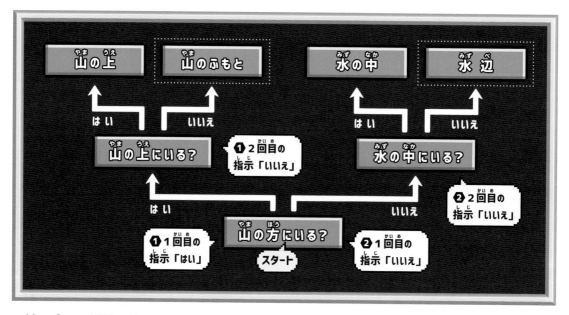

　上の図では質問に対して、「はい」と「いいえ」のどちらを答えたかによって、
その先の処理が変わっていきます。

上の図は、なんだか木みたいに
枝分かれしているね。

マイッキー、するどいね！　プログラミングでは、
このように情報が枝分かれしていくしくみを
「木構造（ツリー構造）」というんだ！

オンとオフの組み合わせで問題解決！

　コンピュータは「0」と「1」の連続で数値を数えます。このような数え方を、「二進法」とよびます（二進法については、p.85でも解説します）。
　「2択で考える」というと、単純なことしかできないように思えてしまうかもしれませんが、そんなことはありません。たとえオンとオフのどちらかでしか、ものごとを判断できなくても、そのスイッチがたくさんあれば、いろいろな状況に対応できるのです。

p.25の例の場合は、どんな命令を使っているのかな？

「もしも敵が外にいるなら、基地の外に魔物を出す」
「もしも敵が基地の中にいるなら、基地の中に魔物を出す」
という条件分岐の命令で、基地を守っているんだよ。

プログラミングの3つの基本

順次： ①→②→③ 命令を順番に処理する。

反復： ①→②→③→①→②→③→①→②→③ 命令をくり返して処理する。

条件分岐： ① ②→③ / ②→③ 条件によって、処理する命令を変える。

「順次」「反復」「条件分岐」について、だいぶわかった気がするぞ！

パターン並べゲーム

このゲームのねらい：カードゲームを楽しみながら、プログラミングの「順次」の考えを学べます。

◆ どんなゲーム？

順番に手持ちのカードを1枚ずつ出して、「場」に開いてある「ミッション」の通りにカードを並べていこう。ミッションの通りのカードを出せなかった人は、山札から1枚引くよ。最初に手持ちのカードをすべて使い切った人の勝ちだよ。

◆ 遊べる人数：2〜5人

◆ ゲームに使うもの（説明を参考にして、つくってみよう）

【キャラクターカード】 まずは右の2種類をつくってみよう
ぜんいちカード（赤）10枚　マイッキーカード（緑）10枚
・裏側は同じ絵や色にして、カードの種類がわからないようにしよう。
・3人以上で遊ぶときは、キャラクターカードの数をそれぞれ15枚ずつに増やしたり、次のページで紹介しているようにキャラクターカードの種類を増やしたりすると、ちょうどよいよ。

【ミッションカード 10枚】
・裏側は同じ絵や色にして、カードの種類がわからないようにしよう。
・ぜんいちカードとマイッキーカードをどの順番で並べるか、このミッションカードにしたがうよ。
（ぜんいちの赤と、マイッキーの緑のマークを、10個並べよう。マークの並び方は自由だよ。）

【キャラクターカードの表側】

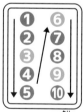 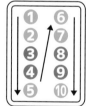

ぜんいちカード　マイッキーカード

【ミッションカードの表側】

ミッションカードの例1　ミッションカードの例2

◆ ゲームをはじめる準備

・キャラクターカードを切り、プレイヤーに5枚ずつくばる。これが、それぞれの手札だよ。残りのキャラクターカードは、裏返しにして山札にしよう。
・それとは別にミッションカードも混ぜてよく切り、裏にして別の山札にしよう。
・じゃんけんで最初のプレイヤーを決めよう。最初のプレイヤーは、ミッションカードの山から、1番上の1枚を表にするよ。

> **1 はじめるときはこんな感じ！**
> キャラクターとミッションはそれぞれ別の山。ミッションが1枚、表になっているよ。
>
>
>
> キャラクターの山　　ミッションの山
>
> カードを出す「場」
>
> プレイヤーはキャラクターを5枚ずつ持っているよ。

◆ ゲームの流れ

・ミッションカードのマークの並びと同じ順番になるように、キャラクターカード（赤いマークならぜんいちカード、緑のマークならマイッキーカード）を手札から場に出していこう。時計回りの順番に、次のプレイヤーの番になるよ。

---

② ミッションの通りに、場にカードを出そう！

ミッションの並びがこうだった場合は……

この順番に出していく！

この場合、ミッションが赤ではじまっているので、最初のプレイヤーはぜんいちカード（赤）を置く。次のプレイヤーはぜんいち（赤）、その次のプレイヤーはマイッキー（緑）と、ミッションの並びと同じになるように、順番にカードを場に出していこう。

---

③ 出せるカードが手札にない場合は？

キャラクターの山札からカードを1枚引く。

このとき、場に出せるカードを引いたとしても、そのまま次の人の番になるよ。

---

④ ミッションのマークを並べ終わったら？

自分の番に並べ終わった人が、ミッションの山札の一番上のカードを表にしよう。

もしも、ミッションの山札がなくなった場合は、並べ終わったミッションをよく切って、ミッションの山札にしよう。

---

⑤ キャラクターの山札がなくなったら？

並べ終わったカードを集めてよく切り、キャラクターの山札にしよう。

次に並べるカードが何か、まちがえないようにしよう！

---

⑥ ゲームのおわり

順番にカードを出し続けて、最初に手札がなくなった人の勝ちだよ。

ぼくの勝ちだー！ くやしい〜！

◆ ゲームをカスタマイズしてみよう

・「手札を交かんする」や「順番をとばす」など、特別な効果のキャラクターカードを増やしてみよう。

・キャラクターカードとミッションカードの色を増やしてみよう。（例：キャラクターにバナナくんを、ミッションに黄色いマークを増やす）

たとえば、こんな追加カードはどう？

まいぜんシスターズに聞いてみた！①

まいぜんシスターズのふたりに、直撃インタビュー！
ぜんいち＆マイッキーに、気になることを聞いてみたよ。

Q1 まいぜんシスターズのふたりが実況動画を
つくりはじめたきっかけを教えて！

もともとゲームが大好きで、マイッキーとふたりで遊んでいたんだ。
それで、ゲームをしていてすごくうまくいったり、奇跡的に逆転したり、
そういうシーンを記録に残しておかないと、永久に消えてしまうのが
もったいないと思ったんだ。それで、動画として残しておこうと
思ったのがきっかけだよ。

仲よしのぜんいちがさそってくれたから、いっしょに
はじめたんだ！ あまりゲームはやったことがなかったんだけど、
動画をつくるようになってから、どんどん得意になったよ。

Q2 今までにつくったマイクラ動画の中で、
思い出に残っているものを教えて！

ぼくは、はじめてマイクラのサバイバルをやったときが
思い出に残っているよ！ 最初は何をすればよいのか
わからなくて、難しいと思ったんだけど、やれることが
たくさんあって、どんどん楽しくなっていったんだ！

ぼくは映画みたいなストーリーのシリーズが好き！

最近は1時間くらいの長編動画をつくっているんだよね。

映画みたいな作品までつくれちゃうマイクラって、本当にすごいと思う！

マイクラのサバイバルモードでは、
ふたりで協力して家や畑、
いろいろな装置をつくっていく。

■□■□

2章

「変数」「配列」「関数」を マスターしよう

友とMAGIC

変　数	一時的にデータを保存できるしくみだよ。
配　列	いくつかの変数をまとめたものだよ。
関　数	いくつかの命令を組み合わせたものだよ。

友とMAGIC①
マイッキーと呪いのトラップ

引っこしをして、新しい町にやってきたぜんいちとマイッキー。今日は近くの山に遊びに行くようです。その帰り道、あやしげな物を見つけたマイッキーは……。

① 引っこしをしてから1週間たつけど、新しい町には慣れた？

うん！

② みんな、カメのぼくにもやさしいんだ！こんなよいところに、よく空き家があったね。

③ このあたりは、昔、悪い魔女の支配下だったらしいんだ。今はちがうんだけどね。

それで空いていたんだね。

④ ところで、この間、近くの山で面白い場所を見つけたんだ。

行きたい！

⑤

山の中に到着

⑥ って、こんな高いところから水に飛びこむの!?

⑦ うん、ぼくが先に飛びこむから、マイッキーもきてよ。

8 ひゃっほー！

9 ザブーン！

10 ぼくはちょっと
やめておこうかな。

11 あっ！
つるっ！

12 下が水になっていて
助かったよ……。
だいじょうぶ!?

13 ……そんなことは
ないっすけど？
ん？　なんだあれ？
ごめんね、マイッキー
高いところが苦手だったんだね。

14 緑色の不気味な物体を発見した

① すごく不気味だね。
さわらないほうが
よいんじゃないかな……。

② ぼくは高いところも
こんな変な物体も、
別にこわくないっすよ？

③ そんなものにさわらなくても、
マイッキーがこわがり
だなんて思わないよ！
早く、はなれようよ！

④ えー？ ぜんいちは
にげちゃうの？

⑤ さわっちゃおっと……
うわああああああああああああ！

6 マイッキー、
だいじょうぶ!?
って顔が!!

7 めまいがする……
なんだか目が
見えにくいよ。

！！！！？

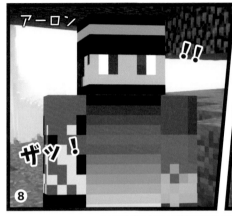

8 アーロン

！！

ザッ！

9 はじめまして！

きみ、だれ？ え、緑色の変な
ものをさわらなかったかって？

10 マイッキーがさわったのは、
その昔、この一体を支配していた
悪い魔女が人々を苦しめるために
設置したトラップだった！
たまたま通りがかったかれは、
悪い魔女をたおした正義の魔女のお弟子さんで、
「アーロン」という名前だそうだ。

11 なになに、さわっちゃった人は
山頂にいる正義の魔女さんに、
3日以内に治してもらえば
いいんですね！ アーロンさん、
ありがとうございます！

12 …………。

13 えっ!?
「あんなトラップに
引っかかるなんて
マヌケすぎ」だって!?

魔法使いの弟子なら
治してみせてよ！

友とMAGIC②
「変数」を使ってピンチから脱出！

正義の魔女に呪いを解いてもらうため、山頂に向かうぜんいちとマイッキー。
そこにあらわれたのは悪い盗賊！ 絶体絶命のピンチを「変数」で切りぬけよう！

このカメは人質だ！ お金とアイテムを全部よこせば解放してやる！

わかりました……。全部わたします……。

金かいと*TNTか。へへへ、いただくぞ。

よし、次はそこにある「おり」に入るんだ。

入ります、だからマイッキーを解放してください……。

へへへ、そのおりは内側からは絶対に開けられないんだ。

さてと、お宝はもらったし、カメは落としちゃうぜ！

わあああぁ!!

そんな!! マイッキー!!

*【TNT】爆薬の一種だよ。マイクラの世界では、起爆して数秒で大爆発を起こすんだ。うまく使えば、地形を変えたり、強敵をやっつけたりできるよ。爆発に巻きこまれないように注意！

脱出のカギは「変数」に保存！

プログラミングでよく使われることに「変数」があるよ。これは一時的にデータを保存しておいて、必要なときに呼び出したり、書きかえたりできるというものなんだ。大事なことを紙にメモしておくのと同じことを、コンピュータのなかでもおこなっているってことだね。

ちなみに、ひとつの変数に保存できることは、ひとつのデータだけだよ。

変数のキホン！

1. データをひとつ入れておける、チェスト（箱）のようなもの。

2. 中のデータは、入れかえることができる。

入れかえられる

中身は「ニワトリ」　中身は「小麦の種」

① おりの中のぜんいち

ぼくが山で遊ぼうなんて言ったから、こんなことに……。

② おりの中にあるものは……、小麦の種だけか……。

③ ん？ おりの外にニワトリさんがいる。

④ 「小麦の種」……、「ニワトリ」……。

脱出のキーワードが見えてきたぞ……！

ひとつの変数には、ひとつのデータしか入らないよ。でも、変数は自由に入れかえたりできるんだ。

　たとえば、A〜Dという変数にそれぞれキーワードが入っているとするよ。これを正しい順番にしたいときは、変数を入れかえればよいんだ。

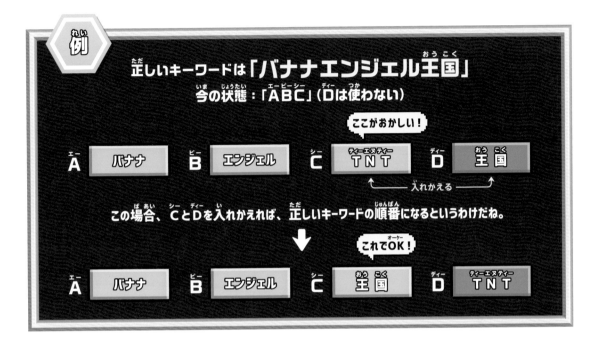

例

正しいキーワードは「バナナエンジェル王国」
今の状態：「ＡＢＣ」（Ｄは使わない）

ここがおかしい！

A バナナ　B エンジェル　C ＴＮＴ　D 王国

入れかえる

この場合、ＣとＤを入れかえれば、正しいキーワードの順番になるというわけだね。

これでOK！

A バナナ　B エンジェル　C 王国　D ＴＮＴ

チャレンジ

正しいキーワードの順番は
「小麦の種でニワトリを導きスイッチをおさせる」
今の状態：「ＡでＢを導きＣをおさせる」（ＤとＥは使わない）

A ダイヤモンド で

B スイッチ を導き

C ニワトリ をおさせる

（ＤとＥは使わない）

D 小麦の種

E ＴＮＴ

この場合、どれを入れかえれば
正しいキーワードになるかな？
（入れかえる場所がひとつとは
限らないよ！）

ありがとう、
ニワトリさん！
がけの下の
マイッキーを、
早く助けに
いかないと！

友とMAGIC③
けわしい道を「配列」で乗りこえる

がけの下に落とされてしまったマイッキーは、アーロンの「回復魔法」で一命を取りとめていた。そっけない態度のアーロンだが、本当はやさしい人なのかもしれない。

① がけの下に着くと、アーロンとマイッキーがいた

アーロンさん、「回復魔法」でマイッキーを助けてくれていたんですね！ありがとうございます！

えっ、治療費をはらえって？

③ それが、ピックマンという盗賊におそわれて、お金もアイテムもうばわれてしまったんです……。

④ アーロンさんはピックマンの名前を聞くと、「お代はいらない」と言っていなくなってしまった。

マイッキーが目を覚ましたのは日が暮れてからだった

アーロンさんってやさしい人だ……。

アーロンさんが回復魔法で助けてくれたんだ。

⑤

翌朝

わわわ、このマグマの上の細い道を進まないと、山頂には行けないみたい！

ええっ!?

⑥

「配列」は変数の集まる倉庫

　いくつかの変数のまとまりを「配列」というよ。p.41ではひとつの変数にはひとつのデータしか入らないと書いたけれど、いくつもの変数を組み合わせて、ひとまとまりにすることはできる。これが配列なんだ。

　大きな倉庫をつくって、アイテムをひとつずつチェストに入れたとする。倉庫が配列で、それぞれのチェストが変数ということになるよ。

　ふたつの倉庫に4つずつチェストを置いて、それぞれ1から4の番号を書いたよ。

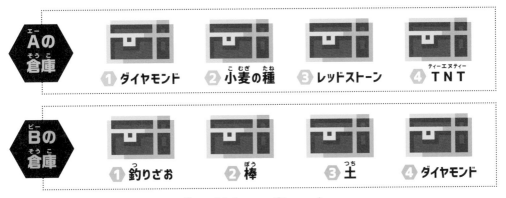

Aの倉庫　① ダイヤモンド　② 小麦の種　③ レッドストーン　④ ＴＮＴ

Bの倉庫　① 釣りざお　② 棒　③ 土　④ ダイヤモンド

　釣りざおがほしいときは「Bの倉庫の1番」を開ければよいということだね。

⑦
マグマが見える！こわいよ!!

近くの山小屋の倉庫に釣りざおがあったから、これでマイッキーを引っ張ろう。

マイッキー！目をつぶって、じっとしていてね！

⑧　しばらく進むと、アーロンが待っていた

アーロンさん！がけから落ちたときに回復魔法をかけてくれて、ありがとうございました。

ここからは案内してくれるんですか？ありがとうございます！

友とMAGIC④
正義の魔女と魔法のような「関数」

アーロンに導かれて、ふたりはついに正義の魔女のもとへ。正義の魔女に話を聞いたところ、どうやらアーロンには悲しい過去があるらしい。

正義の魔女

ついに正義の魔女の元にたどりつき、呪いを解除してもらうマイッキー

①

パアアァァ……

②

すっきり！

世界がはっきり見えるようになった！ 正義の魔女さん！ありがとうございました！

③

アーロンさんもありがとう！ あれ？ いなくなっちゃった。

命の恩人のアーロンさんと、もっとお話したいのに……。

④

アーロンは盗賊の一族に生まれたけれど、魔法を使える力を持っていたせいでいじめられていた

魔法を使うには感情を解放しなきゃいけないのに、アーロンさんは心を閉ざしているからうまく使えないんだって。

⑤

一人でずっと生きていたアーロンを、正義の魔女がここに住まわせてあげているそうだ

アーロンさん、きっと友達がほしいんじゃないかな。

⑥

ガチャの装置は「関数」の見本

プログラミングでは、あらかじめ複数の命令を
まとめておいて、必要なときに呼び出して
使うことができる。これを「関数」というよ。
　ひとつのプログラムの中で、何度も何度も
使うような命令を、いちいち入力するのは
手間だよね。関数を使えば、その手間を省略
できるんだ。関数は「あるデータを入力すると、
それに合わせて別のデータを出す」のが基本、
実際のコンピュータのプログラムでも、
広く使われているよ。

魔法の力って
すごいや。
ぼくも魔法を
覚えたいな！

魔法は難しい
けれど、関数を
使えば魔法
みたいにすごい
ことができるよ。

スイッチをおすと

防具が出てくる

マイクラでは「スイッチを
おすと、アイテムが出てくる
ガチャ」の装置をつくることが
できるけれど、これは関数の
わかりやすい例だよ。

「ボタンをおすだけでケーキが食べられる」
装置がほしいな！　そうだ、今度アーロンさんと
いっしょにケーキを食べに行こう！

❼ この日は、アーロンの部屋に
とめてもらうことになった
ぜんいちとマイッキー。
でも、アーロンは夜中に
部屋をぬけ出して、
ひとりで外に出て行ってしまった。

❽ 外は真っ暗なのに、
いったいどこに
行くんだろう。

友とMAGIC⑤
「関数」でアイテムを取りもどせ！

夜中にこっそりぬけ出したアーロン。その先にいたのは、アーロンが
盗賊団にいたころからのライバル、盗賊ピックマンだった。

①
アーロンさんが
どこかにいっちゃった！
心配だから探しにいこうよ！

ええっ、
待ってよ！

②
もしかしてここって
盗賊団のアジト？
お金とアイテムを
取り返してくるよ。
マイッキーは待ってて！

山の中を歩いていると、
石でできた大きな建物を発見した

③
ぜんいち、だいじょうぶかな。
ん？　話し声が聞こえるぞ？

④
おいおいアーロンじゃん！
よくも盗賊団をぬけてくれたな。

ろうやに
いれてやるぜ!!

関数には名前をつけられる

プログラムの中では「関数」に名前をつけておけるよ。
だから、ある目的のために必要な関数を、簡単に呼び出せるんだ。

p.17やp.21のように、指示をして
導くときも、関数を使うと便利だよ。
「1マス進んで」をくりかえすのではなく、
「進む」という名前の関数を使うとどうなるかな。

たとえば、「進む（○）」の「○」の中に数字を
入れると、その数だけ進む関数があるとしよう。
この場合、「進む（2）」とすると、右のように
導くことができるよ。

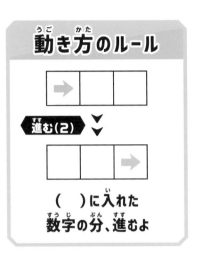

動き方のルール

進む（2）

（　）に入れた
数字の分、進むよ

チャレンジ

関数を使って、ぜんいちを
**盗賊にうばわれた
アイテムがあるゴール
まで導こう。** かっこの中に
入る数字は何かな？

進む（　）→ 右を向く → 進む（　）

たくさんのマスを
進んでいるのに、
使っている指示の回数は
たった3回だけだね！
これが関数の便利な
ところなんだ。

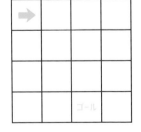

アーロン！　お前、どうせ
「回復魔法」しか使えない
役立たずなんだろう？　へん！

ピックマンさん、
アーロンさんは役立たず
なんかじゃないよ！

⑤

アーロンさんの
「回復魔法」のおかげで、
ぼくは助かったんだもん！

友とMAGIC⑥
形勢逆転！ TNT大爆発！

盗賊に追いつめられたアーロンを助けるため、飛び出していったマイッキー。
ところが……マイッキーのピンチを救うために、アーロンのかくされた力が解放された！

あのとき、がけの上から落としたカメか！じゃまをするな!!

ドサッ！

わあ！

①

!!

②

そのとき、アーロンの左うでが光を放った！

③

ドカーン!!

うわっ！なんだぁ!?

④

一方そのころ、ぜんいちは

やっぱりここは盗賊のアジトだった！

盗まれたものは取り返したし、ついでにTNTで爆破しちゃおうかな！

⑤

アーロンのやつ、いつのまに強くなったんだ!?でも、にげるが勝ちだ。

⑥

「もどり値」は「アジト爆発」！？

　p.45の「スイッチを入れると防具が出てくる」ガチャや、
p.47の「数字を入力すると、その数だけ前に進む」指示のように、
関数の基本は「何かを入力すると、何かが起こるもの」だよ。

　プログラミングでは、最初にする何かを「引数」、関数の効果で
起こったことを「もどり値」というよ。ガチャの例ならスイッチを
入れるのは引数、その結果、防具が出てくるのがもどり値なんだ。

　たとえば、「TNTで盗賊のアジトを爆破する」という関数があったとしよう。
この関数では、「盗賊のアジトにTNTをしかける」という行動が引数で、
「盗賊のアジトが爆発する」という結果がもどり値だね。そして、入力する
引数（しかけるTNTの数）が変われば、もどり値（爆発の威力）も変わるんだ。

関数が動いた結果がもどり値！

使うTNTの数

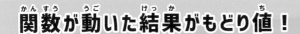

これが「引数」＝入力するデータ

爆発の威力

これが「もどり値」＝関数が動いた結果

このアジトには
秘密の通路があるんだ！
これで追いつかれないぞ。

7

ドカーン!!

え!? えええええっ!?

8

友とMAGIC おしまい

2章の解説とチャレンジの答え

保護者の方へ

2章では「変数」「配列」「関数」という、プログラミングになくてはならない要素を解説しています。これらはさまざまなデータを効率よく、効果的に扱うために利用されています。

p.040 「変数」がわかる！

脱出のカギは「変数」に保存！

「変数」はプログラムの中で使用する値（データ）を、一時的に記録しておける場所のことです。「変数」に記録したデータは、自由に入れかえたり、必要なときに呼び出して使用することができます。

【p.41のチャレンジの答え】 AとD、BとC

A ダイヤモンド	A 小麦の種
B スイッチ	B ニワトリ
C ニワトリ	C スイッチ
D 小麦の種	D ダイヤモンド
E TNT	E TNT

入れかえ

正しいキーワードに必要なものはA、B、Cのみで、DとEは使用しません。このように、変数を使えば、そのとき必要なデータだけを呼びだし、不要なデータは残して置く、という使い方もできます。

変数は「入れかえ」や「使用」だけでなく、「新しいデータを保存する」ということもできるよ。

ひとつの変数にはひとつのデータしか入らないんだよね？　不便じゃない？

だいじょうぶ。p.43で登場する「配列」を使うことで、たくさんの変数をひとつにまとめておくことができるんだ。

「配列」は変数の集まる倉庫

プログラミングの世界では、データを管理する方法がいくつかあります。
その中で、変数を1列に並べ、まとめておくという方法を「配列」といいます。

「変数」がデータの入った箱なら、「配列」は変数を
並べた倉庫のようなものだよ。関係のあるデータは、
まとめておいたほうがあつかいやすいんだ。

ひとつのデータしか入らない変数だけど、
配列として並べれば、一度にたくさんの
データを配列ごとあつかえるんだねえ。

変数 ひとつのデータを入れておける。

配列 たくさんの変数を入れておける。

つまり、配列を使えば、たくさんのデータをまとめて管理しやすい。

変数	配列　複数の変数を入れられる
データは ひとつ	変数　変数　変数　変数

配列にまとめたデータは、4章で登場する
「アルゴリズム」を使って、並べかえたり(p.95)、
探したり(p.97)できるんだ！

ガチャの装置は「関数」の見本

プログラミングでは、コンピュータへの命令の組み合わせを保存しておき、必要なときに呼び出すことができます。これを「関数」といいます。

p.45では「スイッチをおすとアイテムが出てくるガチャ」を関数の例として挙げました。関数は「何かのデータを入れると、結果として別のデータが出てくる」というのが基本です。

> 関数と配列ってなんだか似ている気がするね。

> そうだね。関数と配列の違いは、「関数はいくつかの命令のまとまり」「配列はいくつかの変数のまとまり」というところかな。

関数を使うと何が便利？

コンピュータへの命令を、魔法の呪文にたとえてみましょう。

「スイッチをおすと防具が出てくるガチャ」を引くための呪文が「コンピュータさん、皮、鉄、ダイヤの防具の中からどれかひとつを、くじ引きで出してください」だったとします。ガチャを3回引きたいときは、この呪文を3回となえなければいけません。

そこで関数の登場です。この命令を「防具ガチャ」という関数にして「防具ガチャ」ととなえるだけでガチャが引けたら、とても楽になりますね。

これが関数の便利な点なのです。

> よし、3回となえるよ！「コンピュータさん、皮、鉄、ダイヤの防具の中からどれかひとつを、くじ引きで出してください！コンピュータさん、皮、鉄、ダイ……」いたい！ 舌をかんじゃった！

> さあ、ぼくも3回となえるよ！「防具ガチャ、防具ガチャ、防具ガチャ！」よし、うまくいった！

関数には名前をつけられる

　関数は名前をつけて簡単に呼び出すことができます。前のページのたとえでは、スイッチをおすと防具が出てくるガチャに「防具ガチャ」という名前をつけて、呼び出しやすくしています。

【p.47のチャレンジの答え】進む（2）→ 右を向く → 進む（3）

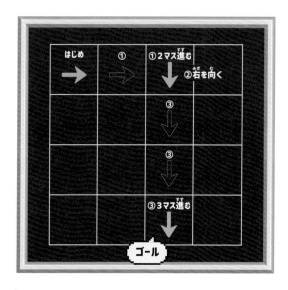

　関数は「何かのデータを入れると、結果として別のデータが出てくる」という使い方ができます。
　p.47のチャレンジでは「かっこの中に入れた数字の分、マスを進む」という命令を、「進む（○）」という名前の関数にしています。

「関数」を使えば複雑な指示を簡単に実行できるようになるんだ。

「関数」って、すごいや！

「もどり値」は「アジト爆発」!?

「関数」を使うときに入力するデータを「引数」といい、関数を使った結果、出てくるデータを「もどり値」といいます。

関数は複雑な命令を実行してくれるすぐれものですが、引数ともどり値を使うことでさらに便利になります。

たとえば、p.47の「数字を入れた数だけマスを進む関数」は、たくさんマスを進めるために引数を増やす、通り過ぎないように引数を減らすというふうに、もどり値をコントロールできるのです。

また、実際のプログラミングではもどり値を変数として保存しておき、必要なときに使うということもできます。

「関数」はマイクラにたとえると「*作業台」みたいなものだね。

「素材」を使って、「アイテム」をつくれる、ということか〜。

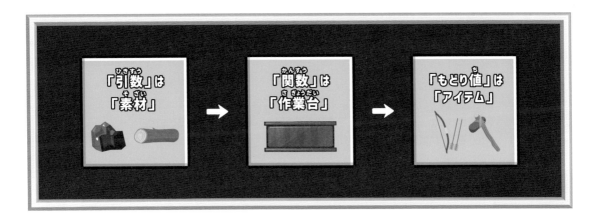

「引数」は「素材」　→　「関数」は「作業台」　→　「もどり値」は「アイテム」

*【作業台】マイクラ世界の超重要ブロック！　作業台の上で素材を組み合わせると、別のアイテムをつくれるんだ。作業台がないと、木の棒やたいまつのような、簡単なアイテムしかつくれないよ。

まいぜんシスターズに聞いてみた！②

まいぜんシスターズのふたりに、直撃インタビュー！
ぜんいち＆マイッキーに、気になることを聞いてみたよ。

Q3 これまでにマイクラでつくった動画で、一番楽しかったものは？

いろいろなものを全部、ＴＮＴに置きかえちゃうドッキリにびっくりした！　面白かったよ！　同じ方法で雑草とかじゃまなものを置きかえたりしたら、便利だよね。

ぼくはサメのジェットコースターをつくったときが面白かった！自分で設計して、大きな建物をつくるのは本当に楽しい！

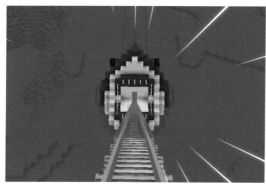

ぜんいちがつくった、
サメのジェットコースター。
サメの中は海中水族館になっている。

Q4 これまでにマイクラでつくった動画で、一番大変だったものは？

大変なことは……セキュリティのしくみをつくるときかな？どういうものをつくるかイメージして、どういう回路をつくれば実現できるか考えて、それを建物の中につくって……。失敗したら、成功するまで何度も実験！大変なぶん、うまくいったときがうれしいんだ！

ぼくはぜんいちが難しいことをやってくれるから、あんまり大変じゃないかも。

マイッキーはいつも、応援してくれるよね！

■ ■ ■ ■

3章

「アルゴリズム」で
問題解決！

ぜんいち＆マイッキー
マイクラで遊ぼう

アルゴリズム	問題を解決する方法や手順のことだよ。
分解	問題を細かく分けて、考えることだよ。
抽象化	ものごとをできるだけ簡単に考えることだよ。
フローチャート	ものごとの手順やしくみをあらわす図だよ。

TNTキャノンをつくるための「アルゴリズム」を考えよう！

ふたりはいつも、マイクラの世界で楽しいものをつくっているよ。マイッキーは今日、ぜんいちにすごいしかけを見せたいみたいだ。さてさて、うまくいくかな？

① マイッキー、ぼくに見せたいものがあるっていってたから来てみたんだけど、いったいなんだろう？

② ぜんいち！これを見て！
＊TNTキャノンをつくったんだ！

スイッチオン！

←TNTキャノン

③ ドカーン！！

うわぁーっ！

だいじょうぶ!?マイッキー！

④ せっかくつくったのに、爆発しちゃった……。

⑤ うわーん！失敗しちゃった！

⑥ マイッキー、もう一度はじめから、「アルゴリズム」を考えてみようよ。

「アルゴリズム」？

＊【TNTキャノン】TNT火薬を遠くまで飛ばす、砲台のことだよ。レッドストーンというアイテムで回路としかけを組み合わせてTNTを遠くまで飛ばしたり、連射できるようにしたりすることができるんだ。

アルゴリズムって何？

「アルゴリズム」というのは、
『問題を解決する方法』のことだよ。

ＴＮＴキャノンをつくることは「ＴＮＴを飛ばすための
アルゴリズムを考えること」というふうに、言いかえられるよ。

「アルゴリズム」を考えて、
それをコンピュータで
動くようにすることを、
プログラミングというんだ！

ＴＮＴキャノン成功への道のりも「アルゴリズム」

ＴＮＴキャノンをつくるために必要なアイテムを考える

たとえば：ＴＮＴ、バケツと水、ディスペンサー、レッドストーン、ピストン、かっこいい素材のブロック（丸石、ダイヤモンドブロック、土）などなど

どんなしくみにすると、成功するかを考える

たとえば：ディスペンサーを並べて一度に大量発射、ＴＮＴの爆発力を使って飛きょりをのばす、などなど

大成功！

広い範囲を一気に爆破する
ＴＮＴキャノンが完成したよ！

よーし、今度は成功させるぞ！

❼

スイッチオン！

❽

うわーん!!

だいじょうぶ！
前回よりも
飛んでいるから、
成功だよ！

❾

飛きょり、1mくらい

次のページから、アルゴリズムについてくわしく解説していくよ！ → →

「アルゴリズム」を自由に考えて 遊園地のアトラクションづくり

マイッキーがつくった遊園地に招待されたぜんいち。とても立派な入口だけれど、マイッキーがアトラクションづくりに使った「アルゴリズム」はどうだろう。

マイッキー、立派な遊園地をつくったね！

すごいでしょう！

①

さあぜんいち、入場料をはらってね！

うん。

②

さあ、入場ゲートをくぐって！

③

がら〜ん……

あれ!? 入口とずいぶんふんいきがちがうよ!?

④

気にしない、気にしない！まずは、このスロットをやってみてよ！

⑤

レバーを動かしてみて！

ガチャッ！

すごいしかけだね！さあ、動かすよ！

⑥

遊園地のつくり方は人それぞれ！

「アルゴリズム」は問題を解決する方法だと説明したね。問題の解決方法は、必ずしもひとつだけではないんだよ。たとえば、マイクラで遊園地のアトラクションをつくりたいとき、どんな内容にするかは人それぞれなんだ。

遊園地のアトラクションや建物をつくるとき、土、岩、レンガ、ガラス、どんな材料を選んでもよいよね！
目的をかなえる方法、つまりアルゴリズムはひとつじゃないんだ！

つまり、アトラクションのしくみがふくざつな装置じゃなくてもよいってことだよね……？

アトラクションをつくるためのアルゴリズム

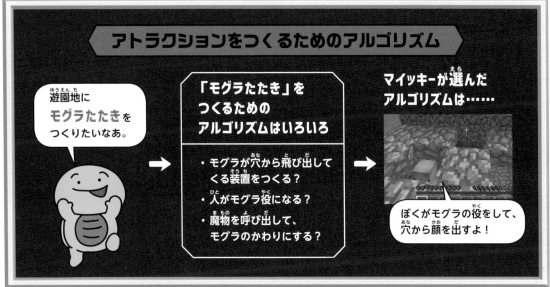

遊園地に**モグラたたき**をつくりたいなあ。

→

「モグラたたき」をつくるためのアルゴリズムはいろいろ

・モグラが穴から飛び出してくる装置をつくる？
・人がモグラ役になる？
・魔物を呼び出して、モグラのかわりにする？

→

マイッキーが選んだアルゴリズムは……

ぼくがモグラの役をして、穴から顔を出すよ！

（持っているアイテムをスロットにはって……）

ぺたぺたぺた！

7

残念！　はずれ～！

マイッキー、今、手に持っているアイテムをはりつけていたよね!?
本当にそろうの～？

8

難しい問題があったとしても
アルゴリズムで解決しよう！

マイクラの世界では小麦や野菜、動物を育てることもできるよ。アルゴリズムを考えれば、ブロックや回路を使って効率をアップできるんだ！

① 今日はマイクラで小麦の収穫

② 小麦を1ブロックずつ集めるのは大変だね。

そうだね、簡単に小麦を収穫できる装置をつくろうかな！

③ 装置をつくる場所を決める！
家の近くの広い場所に決定

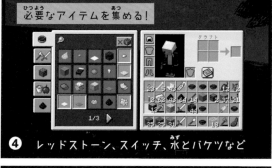

④ 必要なアイテムを集める！
レッドストーン、スイッチ、水とバケツなど

⑤ 回路をつなぐ！
レッドストーンダストで回路をつなぐ

⑥ しかけをつくる！
起動用のスイッチ設置

⑦ ブロックを積む！
地道に積んでいく

⑧ きちんと動くかどうかテスト！
うまくいかなければ、再チェック！

目的に合わせて解決方法を選ぶ！

　問題を解決する手段はひとつじゃないけれど、どんなアルゴリズムを
選んだかによって、他の手段を選んだときよりも、よい結果になることがあるよ。
　たとえば、広い畑から手作業で小麦を収穫するのは大変だけれど、
スイッチひとつで畑にある小麦をまとめて収穫できれば、ずっと楽になるよね。
　でも、装置を使わないでのんびり収穫するのが楽しいという場合は、
手作業で収穫するという方法を選んでもよいんだ。目的によって、
アルゴリズムの選び方も変わるんだよ。マイクラで、アイテムに目的に合った
＊エンチャントをするのも、アルゴリズムの選び方の例だよ。

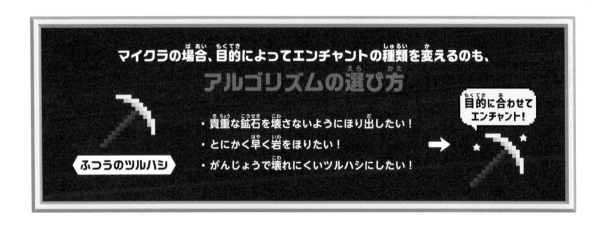

マイクラの場合、目的によってエンチャントの種類を変えるのも、

アルゴリズムの選び方

・貴重な鉱石を壊さないようにほり出したい！
・とにかく早く岩をほりたい！
・がんじょうで壊れにくいツルハシにしたい！

ふつうのツルハシ　→　目的に合わせてエンチャント！

⑨　小麦の種を畑にまいて……

⑩　よーし、小麦が育ったよ！はやくスイッチをオンにして！

⑪　水の力で小麦が装置の下まで流れてくよ！

⑫　大成功！

＊【エンチャント】マイクラでは「エンチャントの本」というアイテムを使うことで、武器や防具、道具や本などの性能をのばしたり、特別な効果をあたえたりすることができるんだ。追加できる効果はさまざまだよ。

無人島でサバイバルに挑戦！
必要なことは「分解」して考える！

何もない無人島で生きのびるためにはどうすればよい？　ぜんいちの出題する
クイズに答えるマイッキー。問題解決のポイントは「分解」の考え方だよ！

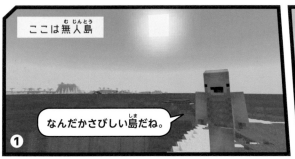

① ここは無人島

なんだかさびしい島だね。

② 今日はこの島で、サバイバルクイズに
チャレンジしてもらうよ！

③ ぼくは
大自然出身のカメだよ？
自然の中でサバイバル
なんてよゆうだね！

④ それでは、第1問！
「無人島に流れ着いて、
最初にするべきことは？」

⑤ まずは島の地形を
はあくしないとね！
走り回って
地図をつくるよ!!

⑥ どうしよう、
雨が降ってきた！
なんだか、お腹も
へってきた！

⑦ どうしよう、
混乱してきた！
ぜんいち、
答えを教えて!!

⑧ この洞窟なら
雨や風を
しのげそう！

正解は
「安全な拠点を
探すこと」だよ。

問題を細かく「分解」しよう

プログラミングの考え方では、問題をできるだけ細かく分けて、
順番に解決していくことが大切なんだ。この考え方を「分解」というよ。
　無人島でサバイバルをするときも、やらなければいけないことを
細かく分解して、必要なことから順番に取り組んでいけばよいんだ。

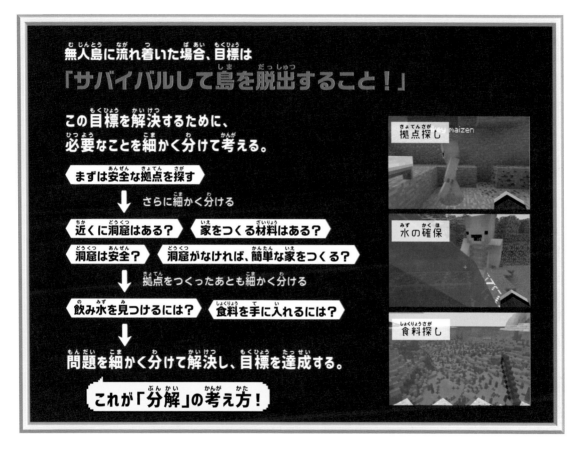

⑨

ぼくはいつだって冷静だからね！
次の問題は簡単に解決できるよ！

うーん、マイッキーは
冷静だったかなあ？

「分解」を使えば無人島での協力サバイバルがうまくいく！

無人島サバイバルクイズ後半戦！ 今度は水や食料を手に入れる方法を考えてみよう。
こんなときもプログラミングの考え方、「分解」が役に立ちそう。

① サバイバルクイズの第2問「飲み水を見つけよう」
「海水」は はずれだよね？

② じゃあ川の水を飲むよ！
うめぇうめぇ
バシャバシャ！！
魚のふんや動物のおしっこ、ウイルスやバクテリアでよごれているのに？

③ mikey maizen
うえぇ！ うそぉ!? 飲んじゃったよ!?

④ 「ろ過したわき水を、ふっとうさせる」のが正解だよ。
マイクラのブロックでろ過装置をつくったよ。

⑤ ぜんいち、すごいや！
うめぇうめぇ
上には小石や砂、下には炭を入れて、最後に布でこすんだ。

⑥ 次の問題は「食料を見つけよう」だよ。
やったあ、お腹がすいてたんだ。

「分解」すると、よいことだらけ！

「分解」をすると、問題を解決するためにいろいろとよいことがあるんだ。

たとえば、だれかに協力してもらって目標を解決するとき、やるべきことが分解されていなかったら、協力してくれる相手は何をすればよいかわからない。もしかすると、まちがったことをしてしまうかもしれないよね。

そんなとき、問題が細かく分解してあれば、だれが何をすればよいかわかりやすいんだ。それに問題を解決するとちゅうで失敗やまちがいが見つかった場合も、どこまで解決できているのか、どこを改善すればよいのか、分解していたほうがわかりやすいんだ。

食料を探す場合、問題を「分解」していないと……

食料を探してきて！

オーケー！わかったよ、ぜんいち！

キノコをとってきたよ！

マイッキー、実は野生のキノコはほとんどが毒をもっているんだ。どれも食べられないよ。

問題を「分解」している場合は……？

ぼくはつりをして魚をとるから、マイッキーは木の実を探してきて！

オーケー！わかったよ、ぜんいち！

木の実をとってきたよ！

ぼくは魚をとってきた！いっしょに食べよう！

脱出ゲームに挑戦！
「抽象化」でシンプルに考えよう

今日はぜんいちのつくった脱出ゲームの部屋にマイッキーがチャレンジ！
今回、マイッキーはかなり調子がよいみたい。ものごとをシンプルに考えたおかげかも！

1 ぜんいち作、脱出ゲーム部屋

脱出ゲームができる部屋をたくさんつくったんだ！

2 ぜんいちの脱出ゲーム、ぼくがクリアするぞ！

入口にリンゴの絵がかいてあるね。

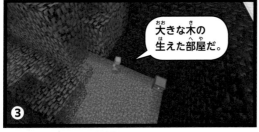

3 大きな木の生えた部屋だ。

4 ←木の上のチェストにレバーが入っている

ルール 部屋にかくされたレバーを探して、出入口までもどればクリア

5 入口にあったリンゴがヒントのはず！赤、食べ物、木の実。……木の実がなる場所は……。

6 あっ！木の上にレバーがあった！

7 脱出成功！

シンプルに考えればこれくらいよゆうっすね！

複雑な問題をシンプルに考える

　プログラミングの考え方では、目標を達成したり、問題を解決したりするために、ものごとをできるだけ簡単に考えることが大切なんだ。これを「抽象化」というよ。

　マイクラの場合でたとえてみるよ。「木材を使って、なるべく早く家を建てる」という目標があったとする。でも、ひとことで木材といっても、マイクラにはオークやシラカバ、松などいろいろな種類の木が登場するんだ。

　こんなとき「何の木材を使って家を建てよう？」と考えてしまうと、場合によっては「なるべく早く家を建てる」という目標が達成できない可能性がでてくるね。こんなときに「オーク材もシラカバ材も松材も『木材』だから使ってよし！」と考えることが「抽象化」なんだ。

「抽象化」の考え方＝本当に必要なことを取り出す

 オーク
 シラカバ
 松

＞＞

 ぜんぶひとまとめで木材！

8　いくぞ！

次の部屋へ挑戦

9　部屋の中に＊クリーパーがいっぱい！どうしよう……。

ドカーン!!

10　ええい！めんどうだから突撃！

ガチャッ！

11　よゆうだったね！（まさかクリアできるとは思わなかったよ……）

奇跡的に生還

＊【クリーパー】マイクラ世界のモンスターの一種で、近づいてきて大爆発する性質を持っているんだ。爆発に巻きこまれたブロックは壊れてしまうよ。せっかくつくった建物が、クリーパーに壊されないように気をつけよう！

脱出ゲーム最終ステージ！
よけいなことさえしなければ……

マイッキーはついに、ぜんいちがつくった脱出ゲームの最終ステージに到達！
このままクリアすることだけを考えれば、うまくいきそうな気がするけれど……？

最後の部屋

絶対にクリアするぞ！

1

宝箱が並んでるね。

2

ひとつずつ調べよう。

3

あっ、レバー発見！

4

ドアまでもどれば
クリアできるけど……。

5

うわぁ！ よけいな
ことをしなければ
よかった！

残りの宝箱が
気になるなあ……。

6

7 箱を開けたとたん、*ウィザー出現！

*【ウィザー】マイクラ世界にいるボスキャラクターの一種。3つの頭を持ち、幽霊のようなおそろしい姿をしているんだ。
動きがすばやくて、攻撃力も高い強敵！ 脱出ゲーム中に突然戦うことになったら、まず勝ち目はない相手だよ。

よけいなものは取りのぞこう

「抽象化」はものごとをできるだけ簡単にするということ。これはつまり、「よけいなものを取りのぞいて考えること」だと言いかえられるよ。

　ここであげるのはちょっときょくたんな例だけれど、ものごとを抽象化できていない場合、簡単なはずの問題でさえ難しくなってしまう危険性があるよ。

たとえば、脱出ゲームの説明の場合

説明が「抽象化」されていないと……

「ゆかや天井、かべなどで
しきられた空間にかくされた、
機械を動かすための棒状の
道具を探して、出口であり
入口でもある場所までもどれば、
失敗せずに通過したことになる」

えええ!? 何を
すればよいの!?

うーん、「ゆかや天井、
かべなどでしきられた
空間」って、シンプルに
言いかえれば「部屋」の
ことなのかな？

説明が「抽象化」されていると……

「部屋にかくされた
レバーを探して、
出入口まで
もどればクリア」

よかった、
これなら
わかりやすいや。

細かく説明
しようとしすぎて、
かえってわかり
にくくなって
いたんだね。

ドカーン!!

⑧　マイッキー、ウィザーに敗北

マイッキー、おしかったね！
最初の部屋と同じように、
シンプルに脱出することだけを
考えればよかったのに！

うわ～ん！

⑨

空中の島でドッキリ！
フローチャートでルールがわかる

今回はふたりでサバイバルにチャレンジ！　でも、実はぜんいちは、マイッキーに、ドッキリをしかけるつもりだよ。マイッキーが気づくまで、ドッキリは終わらない！

ドッキリ
アイテムの少ないマップで、ぜんいちだけ*クリエイティブモードになったら、マイッキーは気づけるか？

今回はマイッキーにドッキリをしかけていきたいと思います！

1

ドッキリ開始！

今回は空中の島でサバイバルだよ！

アイテムが少ないから、気をつけないとね！

2

遠くに見える島まで、道をつなげよう！

じゃあ、ぼくはブロックを持ってくるよ。

3

（こっそり、空を飛んで運ぶぞ！）

ギューン!!

4

ありがとう！早いねえ。

セーフ！

5

となりの島の宝箱に黒曜石が入ってたよ。

これでゲートをつくると「*ネザー」に行けるんだよね。

6

ぜんいちだけネザーに移動

（クリエイティブでは強い装備も出し放題なんだ）

en1 は偉業【そらなるぼみ～】を達成した

7

えっ！すごい装備だね!!

ネザーで見つけたんだ。

セーフ！

8

*【クリエイティブモード】マイクラは冒険を楽しむ「サバイバル」だけでなく、建築を楽しむ「クリエイティブ」という遊び方もできるんだ。クリエイティブモードでは空を飛んだり、自由にアイテムやブロックを出したりできるよ。

「フローチャート」をつくろう

「フローチャート」は、アルゴリズムをあらわすときにつかう図のことだよ。
図形と矢印を使って、ものごとの手順やしくみを、わかりやすく書きあらわせるんだ。

右は『ドッキリをしかけるときのフローチャート』だよ。

フローチャートのキホン

・左から右、上から下の順に解決していくよ。

・最初と最後は同じ図形で囲むよ。
（今回は ⬭ ）

・何かをするときは □ で囲むよ。

・条件によって次の処理が枝分かれするときは、
◇ で囲んで、
分かれた先に矢印をのばすよ。

複雑な手順は言葉で説明するよりも、
「フローチャート」を使ったほうが
わかりやすいよ！

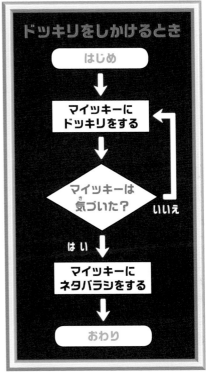

ドッキリをしかけるとき

はじめ
↓
マイッキーに
ドッキリをする
↓
マイッキーは
気づいた？ — いいえ
↓ はい
マイッキーに
ネタバラシをする
↓
おわり

（建築の素材も出し放題）

いつのまにか家を
建てていたの!?
よい家だね！

⑨

ＴＮＴをあちこちにセット

マイッキーが全然気づかない
から、ＴＮＴで派手に行こう。

⑩

大爆発！！

さすがにバレた。

⑪

*【ネザー】強力な敵が登場する、おそろしい世界。黒曜石のブロックで門をつくると行けるようになるんだ。
とても危険だけれど、ここでしか手に入らないアイテムもあるよ。

3章の解説

保護者の
方へ

「アルゴリズム」とは問題を解決するための方法のことです。3章はアルゴリズムの
基本とともに、よりスムーズに問題を解決する考え方である「分解」と「抽象化」、
そしてアルゴリズムを図で説明する方法「フローチャート」のつくり方を学びます。

p.061 「アルゴリズム」がわかる！ 1

遊園地のつくり方は人それぞれ！

　問題を解決する方法のことを、「アルゴリズム」といいます。プログラミングの
世界では、実際にプログラムをつくる前に、どうやって目的を解決すればよいか
（＝アルゴリズム）を考えます。プログラミングとは、アルゴリズムの通りに動く
プログラムを組み立てることなのです。

マイッキーが大好物のケーキを食べたいとき、
ケーキ屋さんで買ってもよいし、自分でつくってもよいよね。
問題を解決する方法、つまりアルゴリズムには、
いろいろな種類があるんだ。

今、おこづかいをあまり持っていないから、
ケーキ屋さんで大きいケーキを買えないかもしれないなあ……。
でも、自分ひとりでケーキをつくるのは大変だからなあ……。

わかったよ、マイッキー
ケーキづくりを手伝うかわりに、
ぼくにもケーキをわけてね。

目的に合わせて解決方法を選ぶ！

　ある問題を解決するためのアルゴリズムには、いくつもの種類が考えられます。
p.63であげた、「手作業で小麦を収穫する方法」と「装置を使って小麦を収穫する方法」の
ように、結果は同じでもとても効率がよくなる場合があるのです。

　また、ある場面でうまくいったアルゴリズムでも、別の場面ではうまくいかない
ということがあります。

　アルゴリズムはいくつもあり、どの方法がよいのかは時と場合によって変わります。

同じ結果でも、
アルゴリズムの種類が違う例は、
4章のp.95やp.97に登場するよ！

問題を細かく「分解」しよう

　複雑な問題はひとつひとつの手順を、小さな問題に細かく分けることで、
解決しやすくなります。この考え方を「分解」といいます。

　p.65では「無人島でサバイバルし、脱出する」という大きな問題を、ひとつひとつ
何をすればよいかに分解して、解決しやすくしました。わたしたちの身の回りにも、
細かく分解することで解決しやすくなることが、たくさんあります。

ケーキをつくるときの手順も、細かく分解できそうだね。

どんな手順が必要そうかな？

材料と道具を用意して、スポンジケーキの材料を混ぜて、
スポンジケーキを焼いて、ホイップクリームをつくって、
スポンジケーキを切って、ケーキにクリームをぬって、
それからそれから……もう、がまんできないや！

そうだね。ひとつひとつの手順を、順番に解決していこう！

「分解」すると、よいことだらけ！

問題を分解すると、問題の解決に役立つ、さまざまなよいことがあります。

たとえば、こんなふうに解決しやすくなる

問題解決に、早く取りかかれる

問題をどのような手順で解決すればよいかがわかれば、
何から手をつければよいかもわかります。

みんなで協力して、問題を解決できる

ほかの人にも問題をどう解決すればよいか、伝えやすくなります。

計画を立てられる

解決にはどんな手順が必要かわかれば、問題を解決するために
どれくらいの時間がかかるか、つかみやすくなります。

ぜんいち～！
かけっこで速く走る方法が知りたいんだ。

それなら、速く走るためのフォームを分解してみよう。
「腕の振り」「背筋」「足の上げ方」というふうに分解すると、
どこを改善すればよいかチェックしやすいよ。

すごい！　プログラミングの考え方は体育でも役に立っちゃうの!?

p.069 「抽象化」がわかる！ 1

複雑な問題をシンプルに考える

「抽象化」とは、ものごとをできるだけ簡単にとらえることです。抽象化では「本当に重要な
情報だけをぬき出す」ということが大切です。p.69の木材の例は「早く家を建てたいから、
木材であればOK（＝木の種類は重要ではない）」ということなのです。

p.071 「抽象化」がわかる！ **2**

よけいなものは取りのぞこう

　問題が抽象化されていない場合、実際には簡単な問題でも、難しく見えてしまうことがあります。ものごとを抽象化する場合は、必要な要素だけを残し、不要なものを取りのぞいて考えることが大切です。

> いろいろなものを分類したり、共通点とかを考えてみると、抽象化の練習になるよ。

> たとえば、「カメ、イルカ、イカ、はどれも海の生き物」とか「カメ、エメラルド、クリーパーはどれも緑色」とか？

> うん、よいね！　抽象化が得意な人はアルゴリズムを考えるとき、「以前、解決した問題と同じ点を見つけて、解決のヒントにする」なんてこともできるんだ。

> もしかして、プログラミングだけじゃなくて、学校のテストでも役に立つんじゃない？　抽象化ってすごい！

p.073 「フローチャート」がわかる！

「フローチャート」をつくろう

　アルゴリズムをあらわすとき、「フローチャート」という図を使います。フローチャートには書き方のルールがあります。

> 次のページでは、くわしいフローチャートの書き方や、活用方法を教えるよ！自分だけのフローチャートをつくってみてね！

> ぼくもいろいろなことをフローチャートにしてみたい！

フローチャートを つくろう

> **このページのねらい**：フローチャートはアルゴリズムを図式化した ものです。ものごとを順序立てて考え、計画的に進めるために、身の 回りのできごとをフローチャートにします。

◆ 毎日のフローチャートをつくって、発表してみよう

フローチャートはだれかに難しい手順を説明したり、何か計画を立てたりするときに役立つんだ。
自分だけのオリジナルフローチャートをつくってみよう！

◆ フローチャートづくりのキホンをおさらい

・左から右、上から下の順に解決していく。
・最初と最後は同じ図形で囲む。（ここでは ⬭ ）
・何かをするときは ▭ で囲む。
・条件によって次の処理が枝分かれするときは、◇ で囲んで、分かれた先に矢印をのばす。

◆ もっとよくなるフローチャートづくり！

くり返して何かをするときは、次の図形を使って
みよう。この図形ではさんだ内容を、くり返すよ。
くり返す回数の条件を決められるよ。

　　　　⬓　くり返しのはじまり

　　　　⬔　くり返しの終わり

たとえば、こういうふうに使うよ。

・ケーキを食べる 10個食べ終わるまで	← くり返しの命令に名前をつけるよ ← くり返しが終わる条件を入れるよ
↓	
ケーキを1個食べる	← くり返したいことを入れるよ
↓	
・ケーキを食べる	← くり返しの先頭と同じように、 命令に名前をつけるよ

くり返しの記号の間に、命令をはさむんだ。

なんだか ハンバーガー みたいに見えるね。

◆ 身の回りのできごとをフローチャートにしてみよう！

たとえば「料理のつくり方」を
フローチャートにする（カレー）

```
つくり始める
    ↓
野菜（ジャガイモ、タマネギ、
ニンジン）を切る
    ↓
ぶたバラ肉を切る
    ↓
なべでタマネギをいためる
    ↓
なべにジャガイモ、
ニンジンを入れる
    ↓
なべにぶたバラ肉を入れる
    ↓
具材をいためる ←
    ↓
タマネギは
しんなりした？ → いいえ
    ↓ はい
水を入れて煮こむ
    ↓
ルウを入れる
    ↓
煮こむ ←
    ↓
とろみが
でてきた？ → いいえ
    ↓ はい
できあがり！
```

【こんなことフローチャートにできるかも？】

・掃除の方法
　（どこを、どういう順番で片づける？）
・夏休みや冬休みの計画
　（何からはじめる？　どうやって進める？）
・部活の練習メニュー
　（トレーニングの順番や回数を組み立てよう）
・ゲームの攻略法
　（自分だけの作戦を考えてみよう）

> ほかにもいろいろなことを
> フローチャートにできそうだね。

> うん、それに
> フローチャートに
> すると、たくさんの
> 「よいこと」があるんだよ。

【フローチャートにするとここが便利】

・フローチャートでつくった計画通りに
　やることで、次に何をすればよいのか、
　迷わず進められるよ。
・フローチャートの通りにやってみて、
　うまくいかなかったことがあったら、
　そこを改善してみよう。
・ほかの人に、自分のやりたいことや考えて
　いることを、わかりやすく伝えられるよ。
　いろいろな人から、アドバイスをもらえる
　かもしれないね。

> ものごとの順番を
> 考えて、最強の
> フローチャートを
> つくろう！

まいぜんシスターズに聞いてみた！❸

まいぜんシスターズのふたりに、直撃インタビュー！
ぜんいち＆マイッキーに、気になることを聞いてみたよ。

Q5 マイクラをしていて、
とくにどんなときが楽しいか教えて！

サバイバルでいろいろな工夫をするのが楽しい！
サバイバルではクリエイティブモードを使えないから
最初は不便だけど、自分の発想や、いままで勉強したことを
いかして、どんどん便利にしていけるんだ！

ぼくもサバイバル！ とくに、ふたりでマイクラをするのは
楽しいよね。いろいろなことを教えてもらえるから、
ひとりで遊ぶより、ふたりがよい！

サバイバルモードは何も
持っていない状態からスタート。
道具の素材集めからはじめる。

Q6 ふたりがおたがいに「ここがすごい！」
「ここがかっこいい！」と思っているところを教えて！

マイッキーは、ぼくが想像もしないようなデザインの建物を
つくるんだ。マイッキーのアイデアは、いつもすごいと思う。

ぜんいちは、やるとなったらとことん極めようとするのがすごい！
どんなときも、最後までしっかりやろうとするんだよね。

4章

プログラミングが もっとわかる！

家族再会
（かぞくさいかい）

データ	コンピュータで処理される情報のことだよ。
デバッグ	プログラムの中にある、まちがいを修正することだよ。

家族再会① マイッキー誕生！

これはマイッキーとぜんいちが出会うよりも前のできごと。ある夜、砂浜に1ぴきのカメが産卵にきた。卵から生まれた子ガメたちは、海に向かうはずなのに……？

① 「ぜんまいの灯台」のそばで、カメが卵を産んだ

②

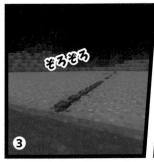
③ もそもそ

④ ひとつだけ残った卵から生まれたカメは……

⑤ 海とは反対の方向へ行ってしまった

⑥ 森で魔物に襲われてしまった子ガメ

そこへ心やさしく勇敢な老人が現れ、子ガメの命を救った

⑦ 老人は子ガメを育てることにした

⑧ 老人は子ガメにいろいろなことを教えた

3年後

おじいちゃん！
楽しいね！

⑨ 成長したカメはしゃべれるようになっていた

老人とカメは楽しく暮らしていたが、
ある日、老人が病気でたおれてしまう

⑩

老人はカメに
自分が本当の親ではないこと、
そして真実を知りたければ、
自分の部屋のかくしとびらを
調べるように伝え、
形見にダイヤモンドをのこして
息を引き取った。

⑪

さびしいよう……。
おじいちゃん……。

⑫

2年後

日記によると、ぼくはカメと
いう生きものらしいけれど……、
カメってなんなんだろう？
まずは「ぜんまいの灯台」と
いう場所にいけばよいみたい。

⑬ カメは老人の言葉を思い出し、かくしとびらを開けた。
そこには老人の日記がのこされていた

お腹がすいたなあ。

⑭ カメは自分の本当の親を探すために、
旅に出ることにした

はじめまして！ えっ？ このダイヤと
パンひとつを交換してくれるんですか！

⑮ いきなり大ピンチ！？

家族再会②
マイッキー、ぜんいちと出会う

森のおくで暮らしていたマイッキーにとって、世の中はわからないことだらけ。
ダイヤを取られてしまいそうなマイッキーを助けたのは、赤いパーカーの少年だった。

1　大切なダイヤモンドとパンひとつを、交換してしまいそうなマイッキー
　このダイヤモンドをどうぞ……。

2　ちょっと待った！
そこのカメくん！
きみ、だまされてるよ!!

3　パンをくれるの!?
ありがとうございます～！
　ぼくのパンをあげるから、
そのダイヤモンドは
しまっておきなよ。

4　ぼくはぜんいち。
きみの名前を教えて！
　ぼくはマイッキー！
パン、ごちそうさま！
……それでその、もしよければ、
パンをもうひとつ
いただけませんかねえ？

5　ぜんいちのセキュリティハウス
　家にしまってあるパンをわけるために、
ぜんいちはマイッキーを自分の家に
つれていくことにした

「二進法」で数えてみる

p.25で説明したように、コンピュータは0と1の連続で、あらゆることを計算しているんだ。

みんながいつも使っている1〜10までの数字をひとつのまとまりとして考える数字の書き方を「十進法」というのだけれど、コンピュータは「二進法」といって、0と1だけで数字もあらわしているんだよ。

二進法の場合、2をどうやって表現するのかというと……10！
3を表現するときは11、そして4を表現するときは100！
2、4、6と数字をふたつ数えるたびに、位がくり上がるのが二進法なんだね。

十進法と二進法をくらべてみた！

十進法の数	二進法で表すと……
1	1
2	10
3	11
4	100
5	101
6	110
7	111
8	1000
9	1001
10	1010

ええー、十進法と二進法だと、「1010」と書いてあっても、数字の大きさがぜんぜんちがうんだね！

ぼくのじまんのパソコンルームのパソコンも、ぜんぶ二進法で動いてるんだよ！

チャレンジ

二進法であらわす場合、次の数はどうなるのかな？

1「十進法の11」

2「十進法の12」

セキュリティハウス内

すごい家だね！

ここはパソコンルームだよ。

⑥

ぼくはパンを取ってくる！いろいろなものがあるけど、危ないからさわらないでね。

うん！

家族再会③
マイッキーとぜんいちの旅立ち

ぜんいちのセキュリティハウスは見たこともないものがいっぱいで、ずっとワクワクしているマイッキー。とうとう「緊急爆破装置」にさわってしまった！

1
「きんきゅう ばくはそうち」？

おじいちゃんの部屋のレバーと似てる！動かしてみよう！

2
そのレバーにさわっちゃったの!?

早く！ここからはなれよう！

3
ドーン！！
ガラガラガラ

マイッキー、ひどいよ！

4
ぼくのせいでこうなったの？ごめんなさい……。

ぼくの宝物をあげるから許して……。

5
ずっといっしょにいたおじいちゃんがくれた形見なの……。

えっ、形見？何があったのか教えて？このダイヤモンドはマイッキーに返すよ。

6
ぜんいち、ぼくは本当のママに会いに行きたいんだ。

それなら、ぼくも手伝うよ！ぼくもずっと家にいたから、たまには外にでたいんだ！

動画も音楽も0と1でできている

コンピュータを使うと、動画や音楽、ゲームを楽しむことができるよね。
これらのデータもぜんぶ、0と1のくり返しでできていると言ったら、おどろくかな？
実は、コンピュータの画面には、数字で作られたデータを、人間でも
読み取れるようにコンピュータがほん訳したものが表示されているんだ。
ぜんいちが見つけた大切な手がかりのデータも、0と1でできているんだよ。

データはぜんぶ、数字でできている！

文字

文字にはひとつひとつ「文字コード」という数字が割りふられているんだ。たとえば「A」は65、「B」は66というふうにね。日本語は数が多くて、いろいろな種類の「文字コード」が存在するよ。

画像

画像のデータは、たくさんの点が集まってできているんだ。このひとつひとつの点は、光の三原色（赤緑青）がそれぞれどれくらいの割合で混ざっているか、数値であらわされているんだよ。

音楽

音や声のデータは、音を数字であらわしているんだ。音の高さ、音の大きさ、音の形（音色）の細かなちがいは、コンピュータの中では数字のちがいであらわされているんだね。

動画

動画は、画像が集まったものとして保存されているんだ。たくさんの画像をパラパラマンガのように続けて表示して、そこに音のデータを重ねたものが動画なんだね。

7 「ぜんまいの灯台」に着いたふたり

ぜんいち！いっしょにきてくれてありがとう！

8 灯台に手がかりのデータがあったよ！今の季節だと、ウミガメさんはあと1週間くらい「ルビーの海」にいるんだって。

やったー！ママに会える！

家族再会④

マイッキーはどこに？

マイッキーのママを探すため、船で「ルビーの海」をめざすふたり。でも、竜巻に
ふき飛ばされて、はなればなれになってしまった！ マイッキーはいったいどこ？

① 船をこいで「ルビーの海」に向かう、ぜんいちとマイッキー

なんだか急に天気が悪くなってきたね。

② わあああ！ わあああ！

巨大な竜巻におそわれてふたりはふき飛ばされてしまった！

③ ザザーン…… ザザーン…… ザザーン……

④ うーん……。

⑤ あれ、ここはどこだ!?
船はあるのに、マイッキーはいない！

早く探しに行かないと！

⑥ そのころ、マイッキーは……

ここはどこなんだろう？
ぜんいちもいないし……。

⑦ ブゥ

おい、そこのカメ！
オレが飼ってやるよ！

きみはだれ？
ペットじゃなくて、友達ならよいよ。

友達？ カメのくせになまいきだぞ！

アルゴリズムでマイッキーを探せ！

みんなの毎日のくらしの中で、いろいろなアルゴリズムが役に立っているよ。
たとえば、地図アプリや乗り物の乗りかえ案内アプリには、「経路探索アルゴリズム」というアルゴリズムが使われているんだ。

目的地まで早くたどりつける方法を探すだけでなく、乗りかえの回数が少ない方法や料金が安くてすむ方法など、使う人の目的や好みに合わせて、いろいろなアルゴリズムが利用されているよ。

目的地に早く行けるのは「経路探索アルゴリズム」のおかげ！

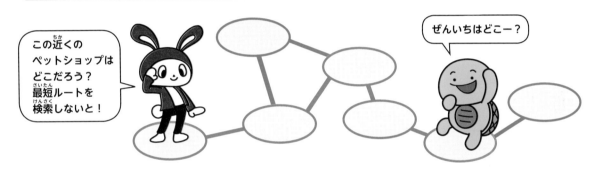

この近くの
ペットショップは
どこだろう？
最短ルートを
検索しないと！

ぜんいちはどこー？

「経路探索アルゴリズム」でこんなことができる！

電車やバスの乗りかえ検索
料金が安かったり、乗りかえ回数が少なかったりする行き方を探す。

カーナビ
目的地までのきょりが短い道、じゅうたいをさけて行ける道などを探す。

マイッキーを探す
ぜんいち

ふむふむ、
ありがとう
ございます！

「めずらしいしゃべるカメ」が
ペットショップにいたんだって！

急がないと、
マイッキーが
売られちゃう！

8

家族再会⑤
とらわれたマイッキー

とても意地悪な「ブゥ」の家に連れて行かれてしまったマイッキー。明日になれば、ワニのエサにされてしまうという。マイッキーを助けるため、急いでぜんいち！

マイッキーは大金持ちの少年「ブゥ」に連れて行かれてしまった！

やめてよ！返してよ！

なんだこのカメ！ダイヤモンドなんて持ってるぞ！よこせよこせ!!

①

じゃあな！なまいきなカメ！明日を楽しみにしておけよ！

②

ブゥくん、行っちゃった……。ブタさんも閉じこめられてるの？

③

え!? ブタさん、ぼくたちは明日、「ワニ」って生きものに食べられちゃうの!?

④

マイッキーはブタさんを連れてにげ出そうとするが、失敗してしまった

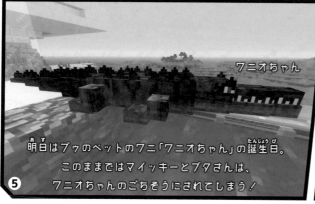

ワニオちゃん

明日はブゥのペットのワニ「ワニオちゃん」の誕生日。このままではマイッキーとブタさんは、ワニオちゃんのごちそうにされてしまう！

⑤

ごめんね、ブタさんまでいじめられちゃったね……。

⑥

7　翌朝
マイッキー！
起きてよ！　マイッキー！

ムニャムニャ……
ん？　この声は……。

8
ぜんいち！　助けに
来てくれたの!?

くらしの中の「アルゴリズム」 2

アルゴリズムでセキュリティ

　動画のコメントらんに書きこんだり、買い物をしたり、メールや通話をしたり……、インターネットを使っているときは、ネットワーク上でいろいろなデータをやり取りしているんだ。このとき、個人情報を守って安全にインターネットを使えるのは、「暗号化アルゴリズム」が働いているからだよ。ぜんいちやブゥの家のようなセキュリティのしくみは、コンピュータの中にもあるんだね。

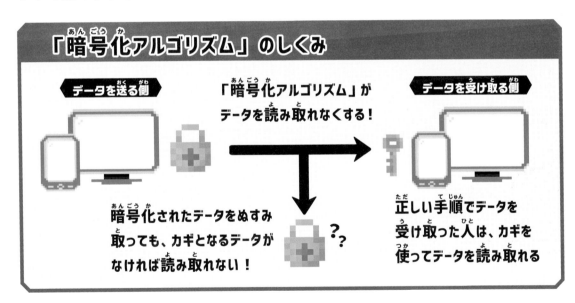

「暗号化アルゴリズム」のしくみ

データを送る側

「暗号化アルゴリズム」がデータを読み取れなくする！

データを受け取る側

暗号化されたデータをぬすみ取っても、カギとなるデータがなければ読み取れない！

正しい手順でデータを受け取った人は、カギを使ってデータを読み取れる

9
ブゥの家は強力なセキュリティに守られているけれど、ぼくだってセキュリティにはくわしいからね！

10
穴をほって、地下から潜入！

家族再会⑥
ダイヤモンドを取りもどそう

ブタさんといっしょに脱出したマイッキー。でも、大切なダイヤはブゥにうばわれたまま。ぜんいちはダイヤを取り返して、ブゥからにげるための作戦を考えた！

ブタさんをにがし、ぜんいちとマイッキーも脱出

ブゥにダイヤを
とられちゃったんだ。

それはひどいね！
取りもどさないと。

①

でも、これ以上
ぜんいちを
危ない目にあわせ
られないよ。

だいじょうぶ！
ぼくによい
作戦があるんだ。

②

ブゥの家にもどったふたり

よし！
マイッキーの
ダイヤを
見つけたよ。

③

だが、ブゥに見つかり、追いつめられてしまう

そのダイヤはもう、
オレのものだ！

④

マイッキー！
作戦通りに、
落とし穴だ！

カメ！
赤いパーカーの人！
ゆるさないぞ!!

ガシャーン！

こ、こわいから
ぜんいちお願い！

⑤

うわぁっ!!
落とし穴だと!?

⑥

ブゥは落とし穴に転落！

あいつらー！　ただじゃ
すまさないからな！

⑦

いそいでブゥの家からはなれる

ぜんいち……、
ありがとう……。

今のうちに
にげよう！

⑧

「ルビーの海」に行くため、船に乗ったが……

ねえ、ぜんいち。
ぼく、ママに会うのあきらめるよ。

えっ、どうして？
今から向かえば、間に合うよ？

⑨

ぼくが何も知らなかったせいで、
いろいろな人に迷わくを
かけちゃったんだ……。
ぜんいちの家をこわしちゃったし。

ブタさんもぼくとにげようとしたせいで、
ブゥにひどい目にあわされちゃったんだ。

⑩

知らないことがあるなら、
これから学んで
いけばよいんだよ！

ブタさんが脱出
できたのだって、
マイッキーと
出会えたからだよ！

⑪

1. この近くにぼくの生まれ故郷があるんだ。そこで休んでいこうよ。

ありがとう、ぜんいち……。

2. ぜんいちの故郷に上陸

ぼくが生まれたころは、ここにもたくさん人がいたんだ。

今は人がいないんだね。

3. 翌朝、日の出を見に来たふたり

うわぁ、きれいだね！

さて！　マイッキー、ここから池に飛びこんでみない？

4. ええぇ!?　どういうことなの!?

ぼくがお手本を見せるから、ついてきて。

バシャーン！

5. マイッキー！ここで恐怖心を克服するんだ！

6. こわい……！　おじいちゃん、ぼくに勇気をわけて……！

7. バシャーン！

8. やっぱりマイッキーは勇気があるよ！

こ、これくらいよゆうだよ！

9. マイッキーは、勇気を取りもどした！

出発の準備をしよう！ぼくはあっちで、食料を探してくるね。

いろいろな並びかえアルゴリズム

たくさんのものを並べかえることを「ソート」というよ。たとえば、食料の木の実を、重さの順番で並べるとき、こんな方法を使ってみてはどうだろう。「バブルソート」「選択ソート」のふたつの「アルゴリズム」を解説するよ。

「バブルソート」の場合

← 前　3　4　1　2　後ろ →

「バブルソート」は後ろから順番に、となり合う数字をくらべて、小さいほうを前、大きいほうを後ろになるよう入れかえる方法だよ

1 ここではまず、1と2をくらべる。小さいほうが前、大きいほうが後ろだから、ここは入れかえる必要がない。

3　4　1　2
後ろからくらべていく！
入れかえなくてよい場合もある

2 場所をひとつずらして、4と1を入れかえる。

3　4　1　2
ひとつずれて、次はここ

3 3と1を入れかえる。いちばん前の場所まで入れかえ終わったら、また後ろから入れかえていく

3　1　4　2
次はここをくらべる！

4 4と2を入れかえる。

1　3　4　2
また後ろからくらべる！

5 3と2を入れかえる。こうして後ろから前まで、入れかえる必要がなくなるまで続ける。

1　3　2　4
順番にくらべ続ける！

完成！

1　2　3　4

「選択ソート」の場合

← 前　3　4　1　5　2　後ろ →

「選択ソート」は、列の先頭の数字と一番小さい数字を入れかえる方法だよ。続けて2番目、3番目と、順番に数字を入れかえていくよ。

1 先頭の3と一番小さい1を入れかえる。

3　4　1　5　2
ここを入れかえ！

2 先頭の数字は動くことはないので、確定。その次の数字4と、2番目に小さい数字2を入れかえる。

1　4　1　5　2
ここは確定！　ここを入れかえ！

3 3番目に小さい数字を、まだ決定していない3番目の数字と入れかえる。ここではどちらも3だったので、入れかえない。

1　2　3　5　4
ここも確定！　入れかえなくてよい場合もある

4 5と4を入れかえる。こうして、前から後ろまで、入れかえる必要がなくなるまで続ける。

1　2　3　5　4
ここまで確定！　ここを入れかえ！

完成！

1　2　3　4　5

並びかえるものの数が多い場合、「選択ソート」のほうが早く終わるんだよ！

家族再会⑦
潜入！ ぜんまい財閥の秘密研究所

マイッキーは罠にかかり、何者かに連れ去られてしまった。ぜんいちはあちこちで
情報を集め、マイッキーが「ぜんまい財閥」の研究所にいることを突きとめる。

あれっ、こんな
ところに罠が！？

もしかしてマイッキー、
だれかにつかまっちゃったのかも！

①

マイッキーは
「ぜんまい財閥」の
研究施設に連れて
行かれたんだ！

マイッキーを探す手がかりを求めて
闇マーケットや図書館へ行くぜんいち

②

「ぜんまい財閥」はもともと世界の平和の
ために科学の研究をしていた組織だった。
でも、2代目社長の「ブービー」（ブゥのパパ）が
初代社長の「ぜんまい」から代表の座を
うばってから、科学の発展とお金のためなら
なんでもする組織になってしまった！

③

ぜんまい財閥の研究施設

きみは
ブゥ！

ははは！この施設は
オレのパパのものなんだ！

④

しーっ、助けに来たよ！

ぜんいち！
よい考えがあるんだ！
ぼくを信じて！

⑤

さて、戸じまり
しないとな！
……ん？

⑥

えっ？ カメが消えた！？

⑦

アルゴリズムで手がかりを探せ！

たくさんのデータの中から、目当てのものを探すことを「サーチ」というよ。
たとえば、辞書で言葉を調べるとき、最初から順番に読んで探すのは大変だよね？
「アルゴリズム」をくふうすることで、情報をすばやく探し出せるんだよ。

「バイナリサーチ」の場合

「バイナリサーチ」は探したい先のデータを半分ずつにわけて、目的のデータが前と後ろ、どちらにあるかを探し続ける方法。たとえば「ぜんまい財閥」について調べるために「さ行」を探す場合は、次のような手順になるよ。

← 前　　真ん中より前？ 後ろ？　　後ろ →

| あ | か | さ | た | な | は | ま |

❶ 真ん中のデータを探して、「さ行」のデータがそれより前か後ろかを調べる。

真ん中より前？ 後ろ？　こちらは外して考える

| あ | か | さ | た | な | は | ま |

❷ データがふくまれていないほうを外して、「さ行」があるデータの真ん中を確認。真ん中よりも前か後ろかを調べる。

発見した！

| あ | か | さ | た | な | は | ま |

❸ これをくり返して、目当てのデータを探す。この場合、「さ行」は3番目に探せた。

「リニアサーチ」の場合

「リニアサーチ」は、データを最初から順番に、ひとつずつ探していく方法。この場合、「ぜんまい財閥」のある「さ行」は3番目に探せる。

❶から順番に調べていく！ →

| あ | か | さ | た | な | は | ま |
| ❶ | ❷ | ❸ | ❹ | ❺ | ❻ | ❼ |

「リニアサーチ」はデータが順番どおりに並んでいないときも使えるね。でも、データの数が多いときは、探すのに時間がかかってしまうかもしれないんだ！

ここか!?

ササッ！

今だ！

こいつ!!

お前なんて、こわくないんだから！

ぜんいち！来てくれてありがとう。

マイッキー！本当にすごかったね！

ブゥを閉じこめて、研究施設から脱出

家族再会⑧
TNTボート大爆発！

ふたりの旅立ちの日から、1週間経ってしまった。マイッキーのママやきょうだいたちは、「ルビーの海」から「暗黒の海」へと移動してしまう。もう時間がない！

1
ウミガメさんたちは、そろそろ「ルビーの海」から、遠い「暗黒の海」に大移動してしまうんだ！

それは急がないと！ママに会いたい!!

2
「ルビーの海」へ向かう、高速船のチケットを買ったふたり

しかし、マイッキーは「カメだから」……という理由で船に乗せてもらえない

3
ごめんね、マイッキー、このボートで高速船を追いかけるしかないや……。

4
だいじょうぶ！この船で追いついてやるから！

ぼくはあきらめないって決めたよ！

マイッキー……。

5
追いついたぞ！カメと赤いパーカー！

オレのパパの高速船からお前たちを見つけたと連らくがあったのさ！

6
見て、チェストにTNTが入っていたよ！

TNT!? マイッキー、よいことを思いついたよ！

「デバッグ」でまちがいを直す

　すばらしい「アルゴリズム」を考えついたとしても、ときには思い通りに動かないこともある。それは、アルゴリズムの中に、まちがいがあるからなんだ。プログラミングの世界では、まちがいを「バグ」というよ。もしも「バグ」が発生してしまっても、あわてずにまちがいのある場所を探して、直せばいいよ。バグを直すことを「デバッグ」というんだ。

がんばってつくった装置が、うまく動かないことがあるんだ……。

ぼくも、装置の回路を最初から最後までチェックして、デバッグをくり返しながら装置をつくっているよ！

バグがあってもあわてない！

あれ、装置が動かない？でも、バグはあって当然！調整しながら完成をめざすよ！

7
ブゥが近づいてきた！

よし、今だ！TNTに着火するよ！

8
ああっ！ダイヤを落としちゃった!!

ドカーン!!

爆風で大ジャンプだ！

9
おじいちゃんみたいに温かいや……。

ふしぎな力で高く飛んでいくふたり

10
高速船に追いついた！飛び乗ろう！

やったー！

家族再会 エピローグ

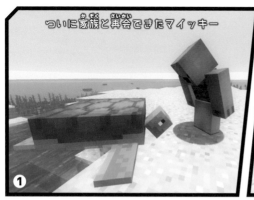

ついに家族と再会できたマイッキー

ぜんいちのおかげでママたちに会うことができたよ。

短い間だったけど楽しかったよ。ぜんいちにあえてよかった。

それはぼくのせりふだよマイッキー、元気でね。

うん、ぜんいちもね。

1ヵ月後

ぜんいちの新しい家

トントン！

家族再会 おしまい

4章の解説とチャレンジの答え

保護者の方へ

4章では身の回りにある電子機器の中で、さまざまな「データ」や「アルゴリズム」がどのように活用されているか、具体例を交えて解説をしています。子どもたちがより深く、プログラミング的思考を身につける足がかりとなるでしょう。

p.085 「データ」がわかる！ 1

『二進法』で数えてみる

　日ごろ、日常生活のなかで使われている数字の表し方は、0から9までの数字を使い、9の次は位が上がって10になる、「十進法」です。コンピュータは0と1の数字を使い、1の次は位が上がって10になる、「二進法」を使っています。たとえば二進法の「11」を十進法であらわすと「3」になります。

【p.85のチャレンジの答え】
1 十進法の11、二進法では1011　2 十進法の12、二進法では1100

コンピュータの中には「電気が流れていたら1、流れていなかったら0」というような、二進法で数字をあらわすスイッチがたくさん入っているんだ。

ええっ!?　しくみが単純すぎない？たとえば、電気の流れる強さで、0から9まで細かくあらわしたらよいんじゃないかな？

そうなると、電気の強さが少しでも変わってしまった場合、正しく働かなくなってしまうね。

シンプルなほうが、よいってことか〜。

ちなみに、「量子コンピュータ」という、ひとつのスイッチで0と1以上の数をあらわせるコンピュータの研究もおこなわれているよ。

動画も音楽も0と1でできている

　文字、画像、音声、動画、さまざまなソフトやアプリなどのデータはすべて、
コンピュータの中では二進法であらわされています。私たちが画面上で見ているものは、
人間でもわかるようにコンピュータがほん訳してくれたものなのです。

ちなみに、画面に映像を表示したり、スピーカーから
音を出したりというように、コンピュータが動いて、
結果を外に出すことを「アウトプット（出力）」というよ！

ふふふ、コンピュータを操作している人が、
文字を書きこんだりデータを入れたりすることを
「インプット（入力）」っていうんだよね！

マイッキー、よく知っているね！

アルゴリズムでマイッキーを探せ！

　行き先への道のりを表示してくれる地図アプリや電車・バスの乗りかえ検索、
車についているカーナビなど、目的地までどう行けばよいかを調べるアルゴリズムを
「経路探索アルゴリズム」といいます。
　経路探索アルゴリズムは、地図やカーナビ以外でも役に立っています。たとえば、
災害が起こったときに、どのようなルートで非難すれば安全かをシミュレーション
することができます。また、ゲームでコンピュータが操作するキャラクターが、
迷子にならずにプレイヤーを追いかけたり、目的地までスムーズに移動できたりするのも、
経路探索アルゴリズムが働いているからなのです。

みんなが遊んでいるゲームでも、この本で紹介している
ような、いろいろなアルゴリズムが使われているんだ。
経路探索アルゴリズムはもちろん、アイテムを並べかえたり
するときは、次のページでも解説している
「ソートアルゴリズム」が使われているよ。

p.091 くらしの中の「アルゴリズム」 2

アルゴリズムでセキュリティ

「暗号化アルゴリズム」は、インターネット上のセキュリティを守るためのアルゴリズムです。メールを送るときやインターネットの通販サイトで買い物をするときなど、大切な個人情報をやりとりする場合に使われています。

データに暗号をかけて、データを他人に盗みとられたとしても、その内容を他人が開けないようにしているのです。

p.095 並びかえの「アルゴリズム」

いろいろな並びかえアルゴリズム

たくさんのデータを数値の大きい順や小さい順、５０音順など、いろいろな順番に並べかえることを「ソート」といいます。そして、データを並びかえるアルゴリズムをソートアルゴリズムといいます。

「バブルソート」は、となりあう数字の大きさをくらべて、大きいほうを一方へ、小さいほうをもう一方へと入れかえていくアルゴリズムです。

「選択ソート」は、すべてのデータの中で一番大きい(あるいは小さい)数値から順番に、端の数値と入れかえていくアルゴリズムです。

バブルソートはすべてのデータを、最初から最後までくらべ続けなければいけないので、選択ソートよりも時間がかかってしまう可能性があります。

バブルソート

❶ 2 3 1 ➡ ❷ 2 1 3 ➡ ❸ 1 2 3

❶ 後ろの数値からくらべていく。ここでは３と１をくらべて、小さい１を前に移す。
❷ 場所をひとつずらしてくらべる。この場合は２と１をくらべて、小さい１を前に移す。
❸ 入れかえる必要がなくなったので、完成。

選択ソート

❶ 4 5 3 1 2 ➡ ❷ 1 5 3 4 2 ➡ ❸ 1 2 3 4 5

❶ 先頭の数値と一番小さい数値をくらべる。この場合は４と１をくらべて、小さい１が先頭にくるように入れかえる。
❷ 先頭から２番目の数値と、２番目に小さい数値をくらべる。この場合は５と２をくらべて、小さい２を前に移す。
❸ 数値が順番通りに並び、入れかえる必要がなくなったので、完成。

アルゴリズムで手がかりを探せ！

　たくさんのデータから、必要なデータを探すことを「サーチ」といい、
そのためのアルゴリズムを「サーチアルゴリズム」といいます。
「バイナリサーチ」はデータを半分にわけて、必要なデータが入っているほうを選びます。
それをくり返すことで、必要なデータまでたどりつく方法です。
「リニアサーチ」は、データを最初から順番に、必要なデータが見つかるまで
探すという方法です。

　リニアサーチの場合、探すべきデータがデータのはじめのほうにあった場合は、
すぐに見つけ出すことができますが、もしもデータが後ろのほうにあった場合は、
探し当てるまでに大変な時間がかかるかもしれません。

たとえば、次のデータの中から「17」を探す場合。

バイナリサーチ

▼ここが真ん中！

| 1 | 3 | 5 | 7 | 9 | 11 | 13 | 15 | 17 |

❶ 真ん中のデータを探して、「17」のデータがそれより前か後ろかを調べる。この場合は後ろ。

▼ここが真ん中！

| 1 | 3 | 5 | 7 | 9 | 11 | 13 | 15 | 17 |

❷ データがふくまれていないほうを外して、「17」が入っているデータの真ん中を確認。
　真ん中よりも前か後ろかを調べる。この場合は後ろ。

▼ここが真ん中！

| 1 | 3 | 5 | 7 | 9 | 11 | 13 | 15 | 17 |

❸ これをくり返してデータを探す。この場合、「17」は3回探して発見できた。

リニアサーチ

❶ から順番に調べていく

| 1 | 3 | 5 | 7 | 9 | 11 | 13 | 15 | 17 |
| ① | ② | ③ | ④ | ⑤ | ⑥ | ⑦ | ⑧ | ⑨ |

データを最初から順番に探していく。この場合、「17」は9回探して発見できた。

「デバッグ」でまちがいを直す

　実際にさまざまなアルゴリズムを考えているプログラマーでも、つくりあげた
プログラムが予定通りに動かないことがあります。

　その場合、プログラムの中にあるまちがいを直し、最初に考えたアルゴリズムの通りに、
問題を解決できるようにしなければいけません。プログラムの中にあるまちがいを
「バグ」といい、バグを修正することを「デバッグ」といいます。

> ねえ、ぜんいち。よいアイデアを思いついても、
> 実際にやってみると、うまくいかないことがあるんだ。

> マイッキー、安心して！　失敗からスタートするのは、おかしな
> ことじゃないよ！　プログラミングの世界でも、最初から
> バグがまったくないプログラムなんて、少ないんだから！

> そうなの？

> それに、デバッグをするためにアルゴリズムについてたくさん考える
> ことが、プログラミングの考えを身につける一番の近道なんだよ！

> よしっ！　ぜんいちのおかげで、がんばる勇気が出てきたよ！

生活にプログラミングの考え方を取り入れよう

プログラミングの考え方は毎日の生活の中に取り入れることができます。
生活の中で役に立つ、アルゴリズム（＝問題解決の手順）を考えてみましょう。

1　計画を立てる＝アルゴリズムを考える！

これから先、チャレンジしてみたいことや、解決してみたい問題があれば、
それを達成するために何をすればよいか考えてみましょう。

2　実際に行動してみる

最初に立てた計画の通りに、行動しましょう。

3　振り返ってみる＝うまくいかなければデバッグ！

1度やってみたら、その行動を振り返ってみること。そして、もっとうまくいく方法がないか、
失敗してしまった場合はどうすればよいかなどを考えてみましょう。

脱出ゲームをつくろう

このゲームのねらい：脱出ゲーム用の謎解き問題をつくりながら、4章で解説したさまざまなアルゴリズムを身につけます。

● 脱出ゲームって何？

ある空間から脱出するために、ヒントをもとにして謎を解いていくゲームだよ。コンピュータで遊べるものもあれば、現実世界の会場で、実際に歩きながら謎を解いていく脱出ゲームもあるよ。

● どういうふうにつくればよい？

たとえば、右のフローチャートのようにしてみてはどうかな？

・最初はかんたんな謎解きの問題を用意して、少しずつむずかしくしていくとよいかもね。

・謎解きの問題には、これまでに紹介してきたアルゴリズムが使えるよ。

・謎の数を3つ以上に増やしてみても、面白いね。

問題の答えをマイッキーの好きなものにして、最後の謎のヒントにしたらどうかな？

じゃあ、答えAをダイヤ、答えBをケーキにしてみたいな！

```
スタート
↓
①かんたんな謎を解く（答えA）
↓
②少しむずかしい謎を解く（答えB）
↓
③答えAとBがヒントになった謎を解く
↓
脱出成功！
```

脱出ゲームの問題づくり 例① 0と1の謎

どんなデータも0と1でできている（p.87）ということをヒントにした問題だよ。

まずは最初の問題だよ！これが何かわかるかな？

ヒント

0を白、1を黒にしてみたよ。これでどうかな？

```
0 0 0 1 0 0 0
0 0 1 1 1 0 0
0 1 1 1 1 1 0
1 1 1 1 1 1 1
0 1 1 1 1 1 0
0 0 1 1 1 0 0
0 0 0 1 0 0 0
```

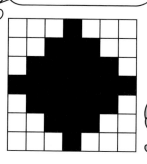

えーと、0と1？ 二進法だと0がオフで1がオンだから……な、なんだろう、ヒントを教えて！

あっ！ わかった！正解は「ダイヤ」だね！

脱出ゲームの問題づくり 例② 暗号をつくってみよう

暗号化アルゴリズム（p.91）をヒントに、暗号文をつくってみたよ。

次の問題はこれ！ カギとなるデータがないと解けない暗号だよ！

「△○♪○♪○」＝🍌の場合

「◇☆ー◇◎」＝何？

ええと、これは……引き算？ カギとなるデータを探さないと！

カギとなるデータ

A	○	H	★
B	△	I	◎
C	□	J	◆
D	×	K	◇
E	☆	L	@
F	●	M	◢
G	■	N	♪

問題の中の記号を、暗号となるデータの中のアルファベットに置きかえてみよう。

「△○♪○♪○」＝BANANA

「◇☆ー◇◎」＝KEーKI

ローマ字で読めばよいんだ！ 正解は「ケーキ」だね！

問題の中にある「ー」はマイナスじゃなかったのか。

脱出ゲームの問題づくり 例③ 最後の謎解きを考えよう

これまでに謎解きの問題をふたつ、つくったね。それぞれの謎の答えがヒントになる最終問題を用意して、それが解けたら脱出成功というルールにしよう。

最後はふたつのとびらを用意したよ。赤い「ぜんいち」のとびらと緑の「マイッキー」のとびら、正解を選べば脱出成功で、もう一方を選ぶと脱出失敗になっちゃうんだ！

ええっ、最後の最後でゲームオーバーもあるの!?

最後の謎

↓010
トマト
□□□＝第1の答え
サッカー
カキ
□□□＝第2の答え

どちらか片方が正解！

第1の謎はダイヤ、第2の謎はケーキ これを問題に当てはめてみよう。

問題の「↓010」は1の列を上から下に読めばいいってことだね！ 正解はぼく、「マイッキー」のとびらだ！

↓010
トマト
ダイヤ＝第1の答え
サッカー
カキ
ケーキ＝第2の答え

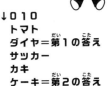

◆ デバッグを忘れないように！

脱出ゲームの問題が完成したら、問題の正解があっているかどうか、きちんとチェックしよう。もしも問題の中にまちがいがあったら、それは「バグ」があったということ！ 忘れずにデバッグをして、ゴールまでたどりつけるようにしよう。

まいぜんシスターズに聞いてみた！④

まいぜんシスターズのふたりに、直撃インタビュー！
ぜんいち＆マイッキーに、気になることを聞いてみたよ。

Q7 マイクラでこれから先、やってみたいことは？

ぼくがチャレンジしたいことは3つあるよ！
その1！　今、ふたりで楽しんでいるサバイバルを、できるまで長く進めたい。
その2！　オリジナルのしかけがたくさんあるマップをつくりたい！
　　　　　いまはマップのアイデアをたくさん考えているんだ。
その3！　面白いドッキリとか、しかけを発明していきたい！
　　　　　いつかみんなにも見てもらえるように、動画にするからね！

ぜんいちのマップ、楽しみだなあ。ぼくたちの動画で、
みんなにゲームの楽しさを知ってほしいね！

こだわりの家が破壊される（笑）

サバイバルでは
せっかく建てた家が、
敵に破壊されてしまう
こともある。
協力することが大切！

Q8 プログラミングが得意になるために、どんなことをすればよい？

やっぱり、マイクラはおすすめ。マイクラで「すごいな！」「よいな！」と
思った装置があったら、自分で考えてつくってみるとよいよ。ただマネをする
だけじゃなくて、「どういうしくみで動くのか」を理解することが大切だよ。

ぼくもまだまだプログラミングの勉強中だけど、
好奇心が大事だと思う！　とにかくやってみることだよね！

そうだね。マイクラなら、装置をつくるのもこわすのも自由だもんね！
それと、算数も大事だよね。「確率」や「場合の数」の勉強を
しっかりしておくと、プログラミングの役に立つよ。

Q9 この本を読んでいるみんなに向けて、応援のメッセージをお願いします！

プログラミングの考え方には難しいところもあるけれど、
マイクラならイメージが目で見てわかりやすいと思う。
だからあきらめずに、一個一個実際に装置をつくったりして、
がんばってみて！　プログラミングだけじゃなくて、
大人になってからも役に立つ能力が、身につくと思う！

ぼくもプログラミングは苦手だけど、がんばってる！
みんながこの本を読んで、できることをどんどん
増やしていってくれたら、うれしいな！

まいぜんシスターズのチャンネルに遊びにきてね！

https://www.youtube.com/channel/UCM3yhFc0-fBFuvqx1Vg2YNQ/

※YouTubeで「まいぜんシスターズ」でけんさくしてね！

　プログラミングは小学校や中学校で新しく習うようになった科目です。そして、プログラミングは「プログラミングの授業」としてみんなの前にあらわれるのではなく、国語や算数などいつもの授業の中に登場します。

　だから、算数や理科の授業で、急に「プログラムをつくってみよう」なんて問題が出てきた！　ということがあります。

　でも、こわがらなくてだいじょうぶ。

　ここまでに、ぼくたちまいぜんシスターズの冒険を追いかけながら、プログラミングの基本を解説しました。

　この本を読んだみんなは、もうプログラミングの「初心者」ではないのです。

　この本のとちゅうで登場したミッションの中には、「かんたんに答えられた！」という問題もあれば「むずかしくてまだ、よくわからない……」という問題もあるかもしれません。

　でも、わからないことがあったからといって、くよくよする必要はありません！

　少しずつ新しいことを覚えていけば、初心者から進化して、「チートみたいにすごいことができるプロ」になれます。

　ぼくたちといっしょに、「プログラミングの考え方のプロ」をめざしましょう！

まいぜんシスターズ
（ぜんいち＆マイッキー）

まいぜんシスターズ

『いつになっても、みんなでゲームを楽しむ心を忘れない』ことをモットーに、色々なゲームで遊んでいる仲よしふたり組、ぜんいちとマイッキー。ぜんいちは真面目でやさしい性格。ゲームやプログラミングが大得意。マイッキーはゆかいでやさしい性格。ゲームでは自由奔放に遊ぶ。

まいぜんシスターズと学ぼう！
1冊ですべて身につくマインクラフトプログラミング入門

2020年 7月10日　初版発行
2022年12月10日　15版発行

監修／まいぜんシスターズ（ぜんいち＆マイッキー）

発行者／山下直久

発行／株式会社KADOKAWA
〒102-8177　東京都千代田区富士見2-13-3
電話 0570-002-301（ナビダイヤル）

印刷所／株式会社広済堂ネクスト
監修協力／UUUM株式会社
編集協力／株式会社童夢
デザイン／株式会社参画社

担当編集／有馬 聡史